Diabolo Menthe

1

Méthode de français

W. Landgraaf
C. Charnet

Hachette F.L.E.
58, rue Jean-Bleuzen
92170 Vanves

DIABOLO MENTHE 1

- 1 livre de l'élève *(30 leçons).*
- 1 cahier d'exercices *(300 exercices).*
- 1 guide pédagogique donnant des indications méthodologiques, des conseils d'utilisation pour chaque leçon, les corrigés des exercices et les transcriptions des textes d'écoute et des dictées enregistrés sur cassettes.
- 5 cassettes, dont 1 de chansons.

Illustrations : F. DAVOT, K. HENSELMANS, V. LE ROUX, M. REBIÈRE
Mise en page : F. CROZAT, K. LHAÏK
Couverture : P. BOURBON

© MEULENHOFF EDUCATIEF, Amsterdam, 1988, titre original : Allons-y tous
© HACHETTE, Paris, 1990

ISBN. 2.01.016270.6

Introduction

DIABOLO MENTHE est une méthode destinée aux jeunes adolescents qui débutent en français, langue étrangère.

Elle couvre trois niveaux.

Ses objectifs sont d'amener l'élève à s'exprimer en français sur des situations simples de la vie courante, proches de son vécu scolaire, familial et relationnel quotidien, à comprendre et à se faire comprendre, à savoir répondre mais aussi à pouvoir questionner.

Le MANUEL est composé de trente leçons. Chaque leçon est constituée d'une à trois **pages de textes** et/ou de dialogues illustrés, et d'une **page d'activités.** Celle-ci, toujours en regard de la page à exploiter, introduit les points grammaticaux, OBSERVE, donne à découvrir les principaux mots nouveaux, DÉCOUVRE, et propose des applications immédiates, ACTIVITÉS. Une grande importance est accordée à l'acquisition systématique des connaissances grammaticales, indispensables pour la maîtrise d'une langue et une communication efficace. Les points de grammaire font donc systématiquement l'objet d'une observation, d'une réflexion et d'applications dans la page d'activités. L'élève a ainsi la ressource de se reporter à tout moment à cette page. Il y trouvera soit le verbe, soit le point de grammaire, soit le vocabulaire dont il a besoin pour réaliser un exercice. Cela lui donne une certaine autonomie dans son travail, s'il le souhaite.
Quatre **Revues pour tous,** de huit pages chacune (presque un magazine), s'intercalent régulièrement entre les leçons pour laisser à l'apprenant le plaisir de découvrir des faits de civilisation française.
En fin de volume, se trouvent un **précis grammatical,** des **tableaux de conjugaison,** un **répertoire d'expressions courantes** et un **lexique multilingue,** autant d'outils indispensables, faciles et pratiques.

Les CASSETTES, au nombre de cinq (dont une de chansons), proposent pour chaque leçon une version courante et une version éclatée des textes initiaux. Les autres textes présentés dans le manuel sont également enregistrés en version courante, ainsi que des textes d'écoute et des dictées, tous transcrits dans le GUIDE PÉDAGOGIQUE et exploités dans le CAHIER D'EXERCICES.

Attrayante, simple à utiliser et efficace dans un apprentissage progressif, programmé et contrôlé, **DIABOLO MENTHE** souhaite outiller chacun pour la réussite.

Contenus

<table>
<tr><th></th><th>OBJECTIFS GRAMMATICAUX</th><th>OBJECTIFS LANGAGIERS</th></tr>
<tr><td>1</td><td></td><td>Saluer</td></tr>
<tr><td>2</td><td>Les articles : le, la
Les nombres de 1 à 10</td><td>Identifier la famille</td></tr>
<tr><td>3</td><td>Le présent du verbe « être »
Je - tu - il/elle</td><td>Se présenter</td></tr>
<tr><td>4</td><td>Qu'est-ce que c'est ? C'est...
Les articles : le, la, l'</td><td>Identifier et présenter quelque chose</td></tr>
<tr><td>5</td><td>Qui est-ce ? C'est...
Masculin/féminin des adjectifs
du type : français/française</td><td>Identifier et présenter quelqu'un</td></tr>
<tr><td>6</td><td>D'où est-il ? Il est de, d'
Les pronoms toniques : moi, toi, lui, elle</td><td>Localiser une ville
Savoir dire d'où est quelqu'un</td></tr>
<tr><td>7</td><td>Vous : pluriel
Vous : pluriel de politesse
Le présent du verbe « être »</td><td>Apprendre à poser des questions</td></tr>
<tr><td>8</td><td>L'article indéfini singulier : un/une</td><td>Reposer une question
Établir son identité</td></tr>
<tr><td>9</td><td>Les nombres jusqu'à 20
Le présent du verbe « avoir »</td><td>Demander un numéro/un
renseignement - téléphoner</td></tr>
<tr><td>10</td><td>Pluriel de l'article : les

Le présent { à la
du verbe « aller » { au
{ à l'
Il y a...</td><td>Dire où l'on va
S'orienter à droite, à gauche,
tout droit...</td></tr>
<tr><td>11</td><td>La forme négative : ne ... pas</td><td>Situer quelqu'un</td></tr>
<tr><td>12</td><td>Verbes du 1er groupe en -er
au présent</td><td>Parler de ce que l'on fait</td></tr>
</table>

	OBJECTIFS GRAMMATICAUX	OBJECTIFS LANGAGIERS
13	Masculin/féminin des adjectifs du type : grand - grande Les adjectifs de couleur	Savoir décrire Savoir situer
14	Le verbe pronominal « s'appeler » L'interrogation avec « comment »	Se présenter Interroger
15	Les adjectifs possessifs masculin/féminin/singulier	Se présenter Exprimer des relations familiales
16	Pourquoi? Parce que... Le passé composé des verbes du 1er groupe avec l'auxiliaire « avoir »	S'exprimer au passé
17	L'adjectif interrogatif : quel? quelle? Au/en Les nombres jusqu'à 60	Le calendrier
18	Il fait du → il y a...	Décrire le temps
19	L'adjectif possessif masculin/féminin/pluriel	L'appartenance
20	Il est de... / de la... / de l'... / du... L'impératif des verbes du 1er groupe aux 2e personnes singulier et pluriel Les nombres jusqu'à 1 000	Situer dans l'espace Donner un ordre
21	Le présent du verbe « venir » Les verbes « vouloir » et « pouvoir » aux 3 personnes du singulier	Exprimer ses intentions
22	L'heure Le verbe « savoir » au présent	Lire l'heure Donner un rendez-vous
23	L'heure (suite)	Lire l'heure Choisir
24	Le verbe « faire » au présent	Décrire une journée

LEÇONS

OBJECTIFS GRAMMATICAUX	OBJECTIFS LANGAGIERS
25 Verbes pronominaux : « se laver », « s'amuser », ...	Décrire une journée
26 On = nous Le verbe « vouloir » aux 3 personnes du pluriel	Exprimer ses intentions
27 Les verbes du 2e groupe en -ir « se réunir » - « finir » - « choisir » Le passé composé du verbe « faire »	Décrire une journée d'école Exprimer ses goûts
28 À/en « aimer » + verbe « aimer » + nom Le verbe « prendre » au présent	Apprécier Exprimer ses goûts
29 Les adjectifs : nouveau/nouvelle, beau/belle, etc. Les verbes « mettre » et « acheter » au présent	Décrire Donner son avis
30 Les verbes « boire » et « manger » au présent Il y a { du / de l' / de la / des	Demander Choisir

L E Ç O N S

QUELQUES MOTS UTILES POUR...

- **Te présenter**
- Nom ....
- prénom ....
- adresse ....

  • **L'école :**
  la classe; la cour; le professeur; l'élève.

  • **La classe :**
  entre/entrez; ouvre ton cahier/ouvrez votre livre;
  écris/écrivez; lis/lisez; apprends/apprenez;
  ferme ton cahier/fermez votre livre;
  sors/sortez.

  • **La leçon et les activités :**
  découvre; observe; regarde; complète; réponds;
  choisis; **vrai** ou **faux**;
  demande; joue; cherche;
  répète; dis; repère.

  • **Une langue, le français par exemple, c'est :**
  - de la grammaire → des phrases;
  - des conjugaisons → des verbes;
  - du vocabulaire → des mots.

  • **Tu apprends le français,
  mais peut-être aussi :**
  l'histoire; la géographie; les mathématiques;
  la biologie; la gymnastique (ω le sport);
  l'informatique; ta langue...
  Une autre langue : l'anglais;
  l'allemand; l'espagnol;
  le portugais; ... etc.

ACTIVITÉS

OBSERVE

a) *Bonjour!* Monique!
   Salut! Suzanne.
mais
b) *Bonjour,* Monsieur.
   Bonjour, Madame.

ACTIVITÉ 1

Dis bonjour à ton ami Pierre : « .... »
Dis bonjour à ton professeur : « .... »

ACTIVITÉ 2

Complète :
– « .... ? »
– « Ça va bien, merci. »

OBSERVE

Au revoir, Madame.
Au revoir, Didier.

ACTIVITÉ 3

Lis et écris :
bonjour, au revoir, ça va, merci, salut.

Joue : il y a 3 mots cachés.

V	O	I	N	S	L	I	T	E
A	L	M	O	N	A	Q	Z	E
L	U	A	E	R	T	L	I	L
M	A	D	C	R	O	S	U	O
O	R	A	I	O	C	H	A	T
R	E	M	A	L	T	I	O	J
I	R	E	S	A	T	U	L	O
T	O	T	R	U	C	H	O	I

DÉCOUVRE

madame
monsieur

A B C D E F G H I J K L M
N O P Q R S T U V W X Y Z
a b c d e f g h i j k l m n
o p q r s t u v w x y z

I
Bonjour!

a

Suzanne	Bonjour, Monique.
Monique	Salut, Suzanne.
Suzanne	Ça va?
Monique	Ça va bien, merci.

b

Madame Caron	Bonjour, Monsieur.
Monsieur Bonnet	Bonjour, Madame.
Madame Caron	Ça va?
Monsieur Bonnet	Ça va bien, merci.

c

Michel	Au revoir, Didier.
Didier	Au revoir, Michel.

ACTIVITÉS

OBSERVE

Le père de Michel, de Suzanne, de Raymond.
La mère de Michel, de Suzanne, de Raymond.

ACTIVITÉ 1

Écris les mots de la leçon 2 avec *le* ou *la* :
sœur, frère, fils, fille, père, mère.

OBSERVE

Leçon *2*, Leçon *3*.
Les numéros des pages : *dix, onze...*

ACTIVITÉ 2

Lis et écris les numéros des pages 3 à 11.
Lis et classe : trois, quatre, un, six, cinq,
neuf, sept, deux, huit, dix.
Regarde le dessin de la page 11 :
Numéro 1 = Michel Caron, le fils.
Continue : numéro 2, 3, 4, 5.

ACTIVITÉ 3

Cherche la phrase :

> frère
>
> Suzanne   Michel
>
>   est
>
> le   de

ACTIVITÉ 4

Mets le dialogue en ordre :
– Ça va bien, merci.
– Bonjour !
– Ça va ?

DÉCOUVRE

la fille   la mère
le fils   le père
le frère   la sœur

et le verbe être

2

Michel, Suzanne et Raymond

1 Michel Caron
2 Raymond Caron
3 Suzanne Caron
4 Monsieur Caron
5 Madame Caron

ACTIVITÉS

OBSERVE

Raymond : « Je *suis* le frère de Michel. »
Raymond *est* le frère de Michel.
Le professeur : « Qui *es*-tu ? »
Suzanne : « Je *suis* Suzanne Caron. »

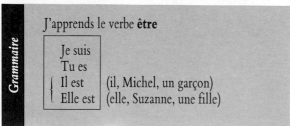

Grammaire

J'apprends le verbe **être**

Je suis
Tu es
Il est (il, Michel, un garçon)
Elle est (elle, Suzanne, une fille)

ACTIVITÉ 1

Complète :
Michel . . . . le frère de Suzanne.
« Tu . . . . la sœur de Michel ? »
« Oui, je . . . . la sœur de Michel. »

ACTIVITÉ 2

Choisis : •————•
je •   • est la sœur de Raymond.
Suzanne •   • es le frère de Suzanne ?
tu •   • suis Madame Caron.

Joue :
La phrase cachée.

est   de

Suzanne   sœur

la   Michel

DÉCOUVRE

Le professeur

3

Qui es-tu?

a

Le professeur	Qui es-tu?
Raymond	Je suis Raymond Caron.
Le professeur	Tu es le frère de Michel?
Raymond	Oui, Monsieur, je suis le frère de Michel.

b

Le professeur	Qui es-tu?
Suzanne	Je suis Suzanne Caron.
Le professeur	Tu es la sœur de Michel?
Suzanne	Oui, Monsieur, je suis la sœur de Michel.

ACTIVITÉS

OBSERVE

Qu'est-ce que c'est ? C'est le pont d'Avignon.

le pont

mais

la cathédrale

l'église
l'opéra
l'hôtel

l' {
a
e
i
o
u
h (muet)
}

ACTIVITÉ 1

Complète avec *le, la* ou *l'* :

... fils   ... mère   ... cathédrale
... fille   ... père   ... professeur
... opéra   ... album   ... histoire

ACTIVITÉ 2

Classe les mots de la leçon :

le	la	l' (m.)	l' (f.)
. . . .	. . . .	. . . .	. . . .

Joue. Cherche 3 mots éparpillés :

ma   mi   me   hô
   chel   tel   da

ACTIVITÉ 3

Complète :

Je suis le fils de . . . .
         la fille de . . . .
Je suis le frère de . . . .
         la sœur de . . . .

DÉCOUVRE

l'album
la cathédrale
l'église
l'hôtel de ville
l'opéra
le pont

et le vocabulaire enregistré :
la poste
la station de métro
le métro
la rue
la librairie
l'hôtel
le cahier
le livre
la table
le cartable
l'histoire

4

L'album de Michel

a

Suzanne	Qu'est-ce que c'est?
Michel	Ça, c'est le pont d'Avignon.
Suzanne	Ah, c'est le pont d'Avignon!

le pont d'Avignon

la cathédrale de Bourges

l'Opéra de Paris

l'église de Montréal

l'hôtel de ville de Noyers

ACTIVITÉS

OBSERVE

Qui est-ce ? C'est Alain Prost.
C'est Julien Clerc.

ACTIVITÉ 1

Regarde les photos des leçons 1, 2, 3, 5.
Pose la question : « Qui est-ce ? » et
réponds pour chaque photo :
C'est . . . .

Grammaire		
il est français **il** est américain	} masculin
elle est américa**ine** **elle** est frança**ise**	} féminin

ACTIVITÉ 2

Trouve le féminin de : portugais - chinois -
argentin.
Trouve le masculin de : hongroise -
mexicaine - japonaise.

ACTIVITÉ 3

VRAI ou FAUX ?

Exemple :
Michael Jackson est français : FAUX. Il est
américain.
Isabelle Adjani est anglaise : . . . .
Julien Clerc est américain : . . . .
Alain Prost est français : . . . .

ACTIVITÉ 4

Choisis :

Elle est			Elle est		
C'est	/	Suzanne	Il est	/	l'opéra
Il est			C'est		

ACTIVITÉ 5

Cherche les mots que tu connais et fais une
phrase : ledeMichelfrèreRaymondest

DÉCOUVRE

américain/américaine   français/française
anglais/anglaise   hollandais/hollandaise

5

Qui est-ce?

a

Gérard	Qui est-ce?
Sylvie	C'est Michael Jackson.
Gérard	Il est français?
Sylvie	Non, il est américain.

b

Marc	Qui est-ce?
Cécile	C'est Alain Prost.
Marc	Il est hollandais?
Cécile	Non, il est français.

c

Gaston	Julien Clerc est anglais?
Pierre	Non, il est français.

d

Henri	Qui est-ce?
Lucien	C'est Madonna.
Henri	Elle est hollandaise?
Lucien	Non, elle est américaine.

e

Madeleine	Qui est-ce?
Yvette	C'est Isabelle Adjani.
Madeleine	Elle est anglaise?
Yvette	Non, elle est française.

ACTIVITÉS

OBSERVE

C'est Michel. *D'où est-il?*
Il est *de* Nantes.

Et Sophie. Elle est *de* Paris?
Non, elle est *de* Lille.

ACTIVITÉ 1

Regarde la carte :
Lille - Paris - Nantes - Bourges - Colmar -
Avignon
Choisis et complète :
Sophie est de . . . .
Luc est . . . .

Mais attention :
Brigitte est d'Avignon.
d' + a, e, i, o, u - Revois aussi la leçon 4.

> **Grammaire**
>
> Alain et Luc : ils sont . . .
> Brigitte et Louise : elles sont . . .
> Éric et Anne : ils sont . . .
>
> il est / ils sont
> elle est / elles sont

OBSERVE

Nord

Ouest ✦ Est

Sud

Lille est *dans le* nord de la France.
Avignon est *dans le* sud.
Nantes est *dans l'*ouest.
Colmar est *dans l'*est.

ACTIVITÉ 2

NORD	SUD	EST	OUEST
Calais	Marseille	Nancy	Brest
Nicole	Anne	Pierre	Jean

Exemple :
Qui est-ce? C'est Nicole.
D'où est-elle? Elle est de Calais.
Où est-ce? Calais est dans le nord de la
France.

Continue avec Anne, Pierre et Jean : . . . . .

> **Grammaire**
>
> **Moi,** je suis de Paris.   **Elle,** elle est de
> Nantes.
> **Toi,** tu es de Lille.   **Lui,** il est de Lyon.

ACTIVITÉ 3

Choisis : •———•
Moi •   • elle est de Nantes.
Lui •   • je suis de Paris.
Toi •   • il est de Colmar.
Elle •   • tu es de Lille.

DÉCOUVRE

la boum   l'est
le centre   le nord
               l'ouest
               le sud

6

Michel est de Nantes?

Michel et Sophie

Eric et Anne

Alain et Luc

Brigitte et Louise

a

Hélène	Ah, c'est Michel!
Pierre	D'où est-il?
Hélène	Il est de Nantes.
Pierre	Nantes, où est-ce?
Hélène	C'est dans l'ouest de la France.

b

Jean	Sophie est de Colmar?
Yvette	Non, elle est de Lille.
Jean	C'est dans le sud de la France?
Yvette	Non, c'est dans le nord de la France.

c

Paul	Alain et Luc sont de Bourges?
Sophie	Oui, ils sont de Bourges.
Paul	Bourges, où est-ce?
Sophie	C'est dans le centre de la France.

d

François	Eric et Anne sont de Colmar?
Marc	Oui, ils sont de Colmar.
François	Colmar, où est-ce?
Marc	C'est dans l'est de la France.

e

Pascale	Brigitte et Louise sont d'Avignon?
Didier	Oui, elles sont d'Avignon.

f

Lille. A la boum de Géraldine.

Sophie	D'où es-tu?
Michel	Je suis de Nantes. Et toi?
Sophie	Moi? Je suis de Lille.
Michel	Ah! Tu es d'ici.
Sophie	Oui, je suis d'ici.

ACTIVITÉS

OBSERVE

Étienne à John : « *Tu es* anglais ? »

Le journaliste à Monsieur Michael Darman :
« Pardon, Monsieur, *vous êtes* d'ici ? »
Le journaliste à 2 enfants :
« Bonjour ! *Vous êtes* français ? »

ACTIVITÉ 1

Demande à *une dame* si elle est anglaise :
« . . . . »

Demande à *un garçon* s'il est américain :
« . . . . »

Demande à *deux garçons* s'ils sont
allemands :
« . . . . »

Grammaire	Le verbe **être**	
	je suis tu es il est elle est	nous sommes vous êtes ils sont elles sont

ACTIVITÉ 2

Complète :
Exemple :
Vous êtes touriste, Monsieur ? Oui, je suis
touriste.
Tu . . . française ? Oui, ...
Elle . . . anglaise ? Oui, ...
Vous . . . français ? Oui, ...
Ils . . . de Nantes ? Oui, ...
Il . . . de Paris ? Oui, ...
Elle . . . de Colmar ? Oui, ...

ACTIVITÉ 3

Classe les prénoms du texte de la leçon :

- français
  . . . .
  . . . .

- étrangers
  . . . .
  . . . .

DÉCOUVRE

l'Angleterre   le journaliste
l'Espagne   messieurs
espagnol   la plage
les États-Unis   la radio

le reportage
le reporter
le touriste

Sur la plage de Nice

a

Etienne	Tu es anglais ?
John	Oui, je suis de Douvres.
Etienne	Douvres, où est-ce ?
John	C'est dans le sud de l'Angleterre. Et toi, tu es français ?
Etienne	Oui, je suis de La Rochelle.
John	La Rochelle, où est-ce ?
Etienne	C'est dans l'ouest de la France.

b

Radio France, reportage sur la plage de Nice.
Le reporter : François Legrand
Le touriste : Michael Darman

François	Ici le reporter de Radio France sur la plage de Nice. Pardon, Monsieur, je suis journaliste. C'est pour Radio France. Vous êtes d'ici ?
Michael	Non, je suis américain.
François	Ah, vous êtes américain ! D'où êtes-vous ?
Michael	Je suis de Portland.
François	Portland, où est-ce ?
Michael	C'est dans l'ouest des États-Unis.
François	Vous êtes bien ici ?
Michael	Oui, je suis très bien, merci.
François	Merci, Monsieur.

c

Radio France, reportage sur la plage de Nice (suite).
Le reporter : François Legrand
Le touriste : Pablo Galeano
L'autre touriste : Ricardo Sanchez

François	Pardon, Messieurs, je suis journaliste. C'est pour Radio France. Vous êtes d'ici ?
Ricardo	Non, nous sommes espagnols.
François	Ah, vous êtes espagnols ! D'où êtes-vous ? De Barcelone ?
Pablo	Non, nous sommes de Madrid.
François	C'est dans le nord de l'Espagne ?
Pablo	Non, non, c'est dans le centre de l'Espagne.
François	Vous êtes bien ici ?
Ricardo	Oui, nous sommes très bien.
François	Merci, Messieurs.

ACTIVITÉS

OBSERVE

- C'est *un* bureau de tabac?
  Oui, c'est *le* bureau de tabac de Madame Burton.

- C'est *une* école?
  Oui, c'est *l'*école de Suzanne.

ACTIVITÉ 1

Lis la page 24. **Complète** la carte d'identité de Claire Burton :

ACTIVITÉ 2

Fais ta carte d'identité.
Joue.
Écris une phrase :

ville   à   l'hôtel
près   de   Nantes
      de   Claire   habite

Complète :

```
          P
          h - - - - - l
          a
    a - r - - - -
          m
    t - - a -
          c
      - - ie
          e
```

DÉCOUVRE

une adresse
un agent de police
l'amie
le bureau de tabac
une école
l'hôpital
la place

le verbe avoir

et le vocabulaire enregistré :
le château
le supermarché
le port
la pharmacie
le marché
la crêperie
une autoroute

8

L'album de Michel (suite)

a

Patrick   C'est un bureau de tabac?

Michel   Oui, c'est le bureau de tabac de Madame Burton.

b

Patrick   Qu'est-ce que c'est?

Michel   Ça, c'est une place.

Patrick   Oui, je vois, mais où est-ce?

Michel   C'est la place Bellecour à Lyon.

c

Patrick   Qu'est-ce que c'est?

Michel   C'est une école.

Patrick   Oui, je vois, mais c'est quelle école?

Michel   C'est l'école de Suzanne.

d

Patrick   C'est l'hôpital de Nantes?

Michel   Non, c'est l'hôpital d'Avallon.

Patrick   Avallon, où est-ce?

Michel   C'est dans le centre de la France.

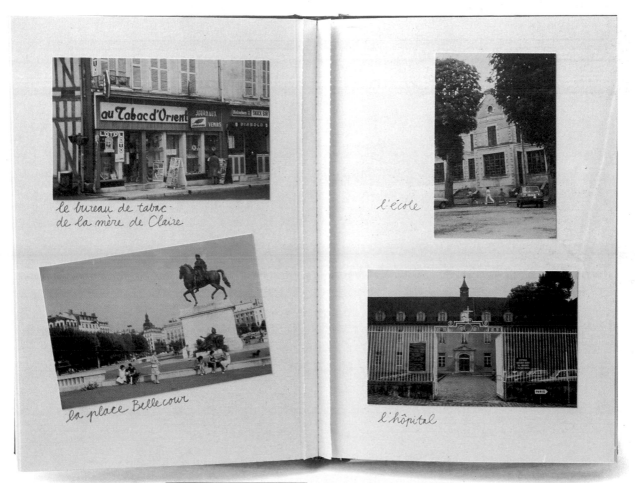

le bureau de tabac de la mère de Claire

l'école

la place Bellecour

l'hôpital

Claire Burton

e
Qui est-ce?
C'est Claire Burton.
Elle est anglaise?
Non, elle est française.
Elle est de Nantes.
C'est une amie de la sœur de Michel.
Monsieur Burton, le père de Claire, est agent de police.
Madame Burton, la mère de Claire, a un bureau de tabac.
L'adresse de Claire est 1, place de l'église.
C'est près de l'hôtel de ville.
Où est Claire?
Elle est à l'école. L'école est près de la cathédrale.

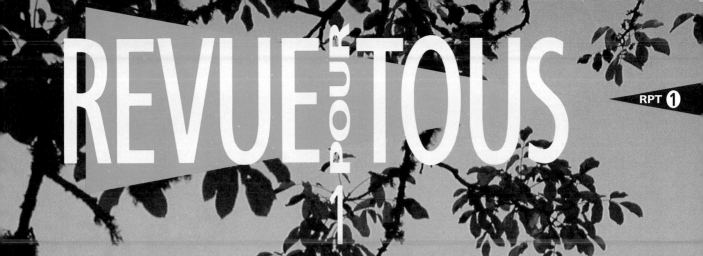

REVUE POUR TOUS

RPT **1**

1

**vacances
en France**

LE DINER
DE LA REVUE POUR TOUS

MARRAKECH

Parlez-vous
français?

dans la rue et sur la route

Vacances en France

Le tour de France

DE LOUISE ET

IL EST TYPIQUE LE PORT!

...MAIS JE N'AIME PAS LE CLIMAT ICI.

Honfleur, en Normandie

BORDEAUX? MAIS C'EST LOIN!

OUI, MAIS EN TRAIN, ÇA VA VITE.

Le Mont Saint-Michel

BORDEAUX

QU'EST-CE QUE C'EST?

C'EST UNE STATUE DE LA VIERGE MARIE. ON DEMANDE À LA VIERGE DE DONNER BEAUCOUP DE RAISIN.

Bordeaux, le pays du vin

Seine

Meuse

Vosges

Loire

Jura

Massif Central

Rhône

Alpes

Garonne

Pyrénées

fleuves
montagnes
plages
en train
en vélo

PFFF...

GNNN...

2

DE MARIANNE

Le château de Chenonceaux

VOILÀ! C'EST LA FIN DE NOS VACANCES...!

AU SECOURS!

LA... A... A... BING!

La Dordogne

Col d'Aspin Altitude 1489m

OUF! QUE JE SUIS FATIGUÉE!

MOI AUSSI. MAIS... C'EST ÇA LE SPORT!!

Dans les Pyrénées

3

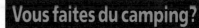

LE DINER

DE LA REVU

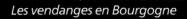

Les vendanges en Bourgogne

Le blé: 27% de l'exportation agricole de la France

4

La rédaction de la Revue pour tous offre un dîner à Luc Brissot et à Claudette Tempez.
C'est bien, la cuisine française!

RPT ❶

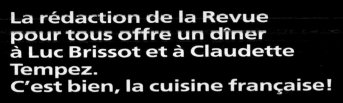

Pêcheurs d'huîtres

C'est bien, la viande de bœuf

Fromages de France

① RPT

Sapho, chanteuse d'origine marocaine qui chante en français.

MARRAKECH

Et *Marrakech*   ville du Maroc,
Etait si fraîche   où est née Sapho
Ce janvier-là
Sur la *calèche*   petite voiture à cheval
Il dit : « Princesse,
Ouvrez le bal »   commencez
Et sur la place
Dansent et s'enlacent
Les *Ghnawas*   tribus d'Afrique
Sur les tambours
Ils battent l'amour
Et le combat

Combat de *fauves*   lions, tigres
Les amants mauves
Se tuent, et ça
Fait des *naufrages*
Des grands nuages   malheurs, accidents
Et du dégât
L'amour, ça frappe
Comme un grand *clap*   signal qui indique
De cinéma   aux acteurs
Ça assassine   le début d'une scène
Avec des signes
Délicats

Sur la calèche
Il dit : « Princesse,
Ouvrez le bal »
On n'est jamais
Unique et c'est
Ça qui fait mal
Où le bât blesse   le point sensible
Comme une flèche
J'ouvris le bal
Une femme tombe
Est-ce une bombe
Ou une *balle* ?   balle de pistolet,
    de revolver

Pour d'autres chansons voir Revue pour tous 4 numéro spécial chansons.

*Attention! Montréal, petite ville en France: 1.618 habitants.
Montréal, ville au Canada (Quebec): 1.080.546 habitants.*

-vous français?

Le français dans le monde

Autrefois, la France avait des colonies dans le monde entier. Aujourd'hui, certaines îles de l'océan Indien, du Pacifique, de l'Atlantique et de l'Antarctique sont des départements ou des territoires d'outre-mer.

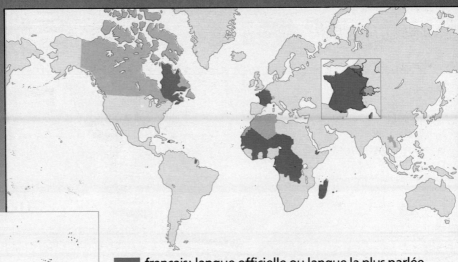

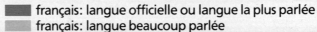 français: langue officielle ou langue la plus parlée
français: langue beaucoup parlée

Haïti, ancienne colonie française, est une république indépendante depuis 1804.

En Afrique noire, on parle beaucoup de langues. Mais le français reste la langue officielle dans certains pays.

7

dans la rue et sur la route
Et là, qu'est-ce que ça veut dire?

1 RPT

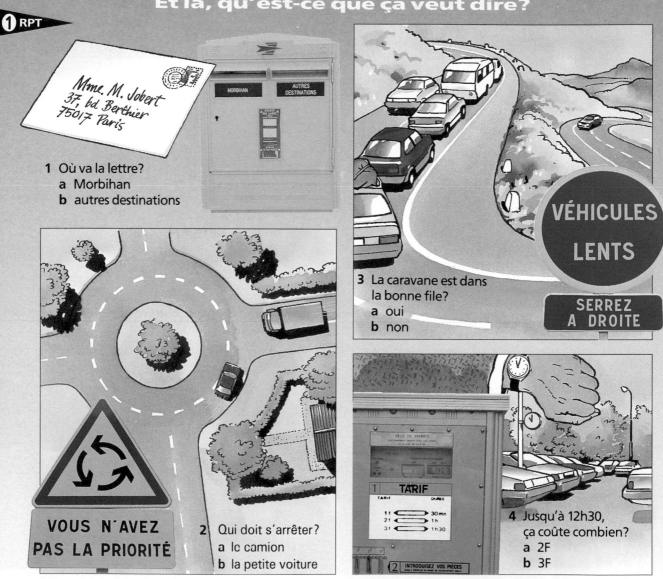

1 Où va la lettre?
  a Morbihan
  b autres destinations

VÉHICULES LENTS

SERREZ A DROITE

3 La caravane est dans la bonne file?
  a oui
  b non

VOUS N'AVEZ PAS LA PRIORITÉ

2 Qui doit s'arrêter?
  a le camion
  b la petite voiture

TARIF

4 Jusqu'à 12h30, ça coûte combien?
  a 2F
  b 3F

1 autres destinations, 2 le camion, 3 non, 4 3 F

8

9

Tu as le numéro de Sylvie?

zéro	0 ...AH, NON ...
un	1 JULIEN CLERC AVEC 'MON ANGE'
deux	2 ANNIE CORDY AVEC 'MA PLUS JOLIE CHANSON'
trois	3 EMMANUELLE AVEC 'PREMIER BAISER'
quatre	4 MADONNA ET 'LA ISLA BONITA'
cinq	5 MYLÈNE FARMER AVEC 'TRISTANA', LA CHANSON DU FILM
six	6 SAPHO, 'MARRAKECH'
sept	7 'LES PETITS MOTS' DE DALIDA
huit	8 LINDA DE SUZA, 'ON EST FAIT POUR VIVRE ENSEMBLE'
neuf	9 GEORGES BRASSENS, 'LA CHANSON DU HÉRISSON'
dix	10 FRANCE GALL AVEC 'BABACAR'
onze	11 CYNDI LAUPER AVEC 'CHANGE OF HEART'
douze	12 'LES GRANDS BOULEVARDS' D'YVES MONTAND
treize	13 DAVID ET JONATHAN AVEC 'BELLA VITA'
quatorze	14 LES COMMUNARDS ET 'SO COLD THE NIGHT'
quinze	15 SHEILA ET 'L'OLYMPIA'
seize	16 HUGUES AUFRAY, 'ADIEU, MONSIEUR LE PROFESSEUR'
dix-sept	17 MARLENE JOBERT AVEC 'PEUX PAS LE DIRE '
dix-huit	18 GÉRARD LENORMAN AVEC 'LA BALLADE DES GENS HEUREUX'
dix-neuf	19 CATHERINE FERRY AVEC ' UN, DEUX, TROIS'
vingt	20 JOE DASSIN ET 'ÇA VA PAS CHANGER LE MONDE'

a

André	Tu as le numéro de Sylvie à Lille?
Brigitte	Le numéro de Sylvie? Oui, j'ai le numéro. Un instant... C'est le 20.13.11.06.
André	Le 20.13.11.06. Merci.

b

Alain	François a le téléphone?
Chantal	Oui, il a le téléphone.
Alain	Tu as le numéro?
Chantal	Oui, j'ai le numéro. C'est le 20.14.07.12.
Alain	Le 20.14.07.12. Merci.

c

Sylvie	Allô?
André	Allô! C'est toi, Sylvie? Ici André.
Sylvie	Ah, bonjour André! Ça va?
André	Ça va bien, merci. Et toi?
Sylvie	Pas mal.
André	Dis, Sylvie, tu as l'adresse de Maurice Duparc?
Sylvie	Oui, c'est 17, rue Jean-Bart.
André	Merci, Sylvie. Au revoir.
Sylvie	Au revoir, André.

ACTIVITÉS

OBSERVE

Tu as le numéro.   *J'ai* le numéro.

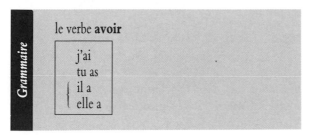

le verbe **avoir**

j'ai
tu as
il a
elle a

ACTIVITÉ 1

Complète avec le verbe *avoir* :

- François . . . le téléphone.
- Il . . . le téléphone de Sylvie.
- Tu . . . le numéro de Sylvie.
- Elle . . . l'adresse de François.

ACTIVITÉ 2

Lis les numéros de téléphone de la page 33.
Regarde les pages du livre et écris :
10, 15, 20, 25, 30, 35.

ACTIVITÉ 3

Voici des mots nouveaux, **cherche**-les !
chienannuairebaintéléphonechambre

Écris ces mots et ajoute *le, la, l'.*

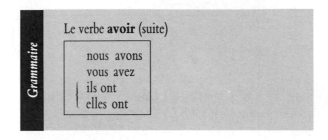

Le verbe **avoir** (suite)

nous avons
vous avez
ils ont
elles ont

ACTIVITÉ 4

Fais des phrases complètes :
Exemple :
Nous avons une chambre à l'hôtel de la Poste.
Vous . . . . . (nouveau - numéro - téléphone)
Ils . . . . (annuaire - Paris)
Elles . . . . (adresse - téléphone - Sylvie)

ACTIVITÉ 5

VRAI ou FAUX ?
- Monsieur Durand a le nouveau numéro de l'hôtel.
- Un chien à l'hôtel de la Poste, c'est permis.
- Le nouveau numéro, c'est le 20-09-11-16.
- Monsieur et Madame Durand sont à Lille.

DÉCOUVRE

un annuaire   *et les verbes* avoir
le bain   réserver
la chambre   vouloir
le chien
nouveau
le numéro
le réceptionniste
le téléphone
le week-end

Je voudrais réserver une chambre

C'EST L'HÔTEL DE LA POSTE?

e

Le réceptionniste de l'hôtel de la Poste est Monsieur Fadaud.

M. Fadaud	Allô?
Mme Durand	C'est l'hôtel de la Poste?
M. Fadaud	Oui, Madame.
Mme Durand	Je voudrais réserver une chambre pour le week-end. Vous avez une chambre avec bain?
M. Fadaud	Oui, Madame, j'ai une chambre avec bain. J'ai aussi une chambre avec bain et W.-C.
Mme Durand	Nous avons un chien. C'est permis?
M. Fadaud	Oui, Madame, bien sûr.
Mme Durand	Bon, la chambre avec bain et W.-C. alors.
M. Fadaud	Très bien, Madame. C'est à quel nom?
Mme Durand	Durand.
M. Fadaud	Madame Durand. Très bien, Madame.

d

Week-end à Lille pour Monsieur et Madame Durand.

Mme Durand	Tu as le numéro de l'hôtel de la Poste à Lille?
M. Durand	Oui, j'ai le numéro, c'est le 20.09.11.16.
Mme Durand	Non, non, ils ont un nouveau numéro.
M. Durand	Ah, ils ont un nouveau numéro... Un instant, où est l'annuaire? Voilà, c'est le 20.19.05.14.

OUI, MADAME.

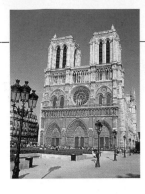

IO
Visite de Paris

a.

Didier est l'ami de Suzanne et de Michel. Les trois amis sont à Paris, devant la Tour Eiffel. Didier a un plan de la ville.

Didier	Nous allons au palais de Chaillot. C'est tout près.
Suzanne	Non, moi je vais à l'Hôtel des Invalides.
Michel	Bon, nous allons avec toi.

les monuments
1 *l'Arc de Triomphe*
2 *la place de la Concorde*
3 *l'Hôtel des Invalides*
4 *la tour Eiffel*
5 *le palais de Chaillot*
6 *le Panthéon*

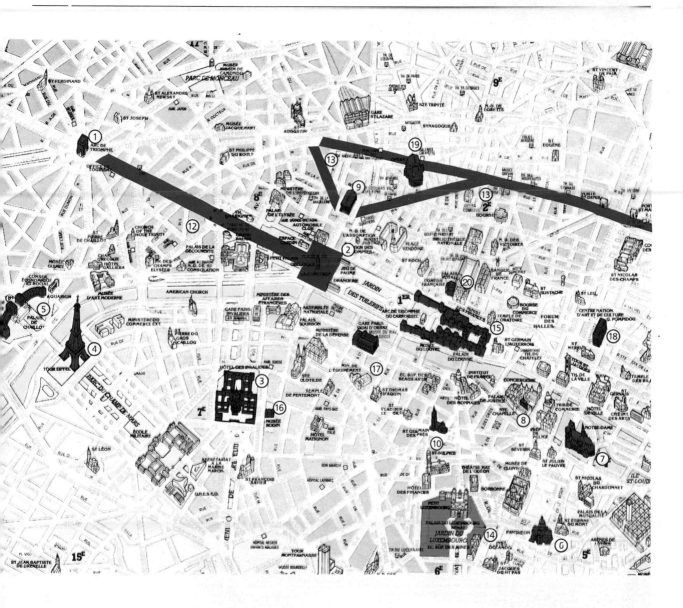

les églises
- 7 la cathédrale Notre-Dame
- 8 la Sainte-Chapelle
- 9 la Madeleine
- 10 Saint-Germain-des-Prés

les parcs, les jardins, les promenades
- 11 le bois de Boulogne
- 12 les Champs-Elysées
- 13 les grands boulevards
- 14 le jardin du Luxembourg

les musées
- 15 le Louvre
- 16 le musée Rodin
- 17 le musée d'Orsay
- 18 le Centre Pompidou, le musée d'art moderne

les théâtres
- 19 l'Opéra
- 20 la Comédie-Française

ACTIVITÉS

OBSERVE

Didier est *l'*ami de . . .
Les trois amis . . .
et
le Panthéon, *l'*Opéra, *la* Madeleine, *les*
monuments, *les* églises . . .

Grammaire	l'ami - le musée - la place les amis - les musées - les places	
	le, la, l' *singulier*	les *pluriel*

ACTIVITÉ 1

Écris ces mots au pluriel :
le numéro - la chambre - l'ami - l'hôtel

Grammaire	Verbe **aller**	
	je vais tu vas il/elle va	**au** musée **à la** mer **à l'**école
	nous allons vous allez ils/elles vont	**au** stade **à l'**hôtel **au** cinéma

ACTIVITÉ 2

Complète les phrases : aller à l'/à la/au.
Michel va . . . . opéra.
Suzanne et Didier . . . . . Centre Pompidou.
Vous . . . . théâtre.
Elles . . . . la Tour Eiffel.

OBSERVE

il y a une épicerie.   *il y a* un café.

ACTIVITÉ 3

Demande à un/une camarade : « Est-ce
qu'il y a un café près de l'école ? »
Continue avec : une pharmacie, un hôtel,
un musée, un cinéma, etc.

ACTIVITÉ 4

Tu écris à un ami/une amie, tu lui parles de
Paris. Tu lui dis où tu vas, avec qui, etc.

DÉCOUVRE

le café
la direction
la droite
une épicerie
le feu
la gauche
intéressant
le kilomètre
un ouvrier
le passant
le plan

le verbe aller

et les monuments de Paris

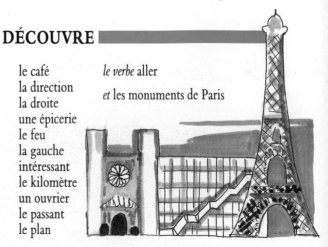

Touristes en France

b

Élise	Pardon, Monsieur, il y a une épicerie près d'ici?
Un ouvrier	Oui, il y a une épicerie, rue Villot.
Élise	C'est loin?
Un ouvrier	Non, ce n'est pas loin. C'est à droite, après la place.
Élise	Merci, Monsieur.
Un ouvrier	De rien, Madame.

c

Paul	Pardon, Monsieur, il y a un café près d'ici?
Un passant	Oui, il y a deux cafés, rue de l'Ouest.
Paul	C'est loin?
Un passant	Non, ce n'est pas loin. C'est à gauche, après la place.
Paul	Merci, Monsieur.
Un passant	De rien, Monsieur.

d

A Rennes en Bretagne.

Jean	Pardon, Monsieur, pour aller à Bain, s'il vous plaît?
Un passant	C'est dans la direction de Nantes. Vous tournez à droite après le feu.
Jean	Le feu là-bas?
Un passant	Oui, là vous tournez à droite. Puis c'est tout droit.
Jean	C'est loin d'ici?
Un passant	Oh non, c'est à vingt kilomètres.

ACTIVITÉS

OBSERVE

« Ils sont à Cannes. » « Ah! ils *ne* sont *pas* là! »

ACTIVITÉ 1

Réponds *non :*
Tu es de Lille? Non, je ne suis pas de Lille.
Il est de Nantes? Non, ... Nantes.

Continue avec *elle, nous, vous, ils, elles.* À chaque fois, change le nom de la ville.

ACTIVITÉ 2

Lis le texte de cette page.
Réponds VRAI ou FAUX :
1. Peter est content.
2. Lorient est dans le sud de la France.
3. Peter Wolf est français.
4. Le jardin du Luxembourg est à Paris.

DÉCOUVRE

Allemand	magnifique
beau	la maison
le camping	la promenade
confortable	le restaurant
content	les vacances
le déjeuner	
un enfant	*et les verbes* dire
la famille	téléphoner

ACTIVITÉ 3

Écris le contraire.
Exemple :
Marianne est anglaise : Marianne n'est pas anglaise.
– Ils sont à Paris : . . . . .
– Nous avons une grande chambre : . . . . .
– Le restaurant est bon : . . . . .

Peter Wolf

b
Peter Wolf est journaliste. Il est allemand.
Il est à Paris, à l'hôtel Europe. C'est dans l'est de Paris. Il a une chambre avec bain et W.-C. C'est très confortable.
Pierre et Luc Duparc, deux Français, sont de Lorient. C'est dans l'ouest de la France. Ils sont en vacances à Paris.
Aujourd'hui, les trois touristes sont dans le même restaurant, à la même table. Peter dit : « Je suis allemand, je suis de Hambourg. D'où êtes-vous? » Pierre et Luc disent : « Nous sommes de Lorient. C'est loin d'ici. »
Le déjeuner est très bon. Peter est content. Il dit : « Ah, nous sommes bien ici. Le restaurant est bon, le jardin du Luxembourg est tout près. Le parc est magnifique. C'est beau, Paris! »
Après le déjeuner, les deux Français et l'Allemand font une promenade sur les Champs-Élysées.

11

Yvette est là?

a

DEVANT LA MAISON DE LA FAMILLE MOROT. DIDIER EST UN AMI D'YVETTE.

LES TROIS ENFANTS MOROT SONT MYLÈNE, GASTON ET YVETTE.

BONJOUR, MYLÈNE. YVETTE EST LÀ?

NON, ELLE N'EST PAS LÀ.

OÙ EST-ELLE?

ELLE EST EN VACANCES AVEC GASTON. ILS SONT À CANNES.

AH BON, ILS NE SONT PAS LÀ.

NON, ILS NE SONT PAS LÀ.

DANS UN CAMPING À CANNES.

JE VOUDRAIS TÉLÉPHONER À DIDIER. TU AS LE NUMÉRO?

NON, JE N'AI PAS LE NUMÉRO DE DIDIER.

ILS ONT UN ANNUAIRE À LA POSTE?

BIEN SÛR! ON Y VA MAINTENANT?

D'ACCORD.

ACTIVITÉS

OBSERVE

Alain habite à Saint-Malo, *il rencontre* un ami.
« *Tu habites* à Saint-Malo? »
« *Vous restez* quelques jours ici? »
« Oui, *Nous restons* quelques jours. »

Je rencont**re** un ami
Tu rencontr**es**
Il/elle rencontr**e**
Nous rencontr**ons**
Vous rencontr**ez**
Ils/elles rencontr**ent**

C'est le verbe **rencontrer**, au présent.

Attention à l'orthographe!
J'entends la même chose pour :
je, tu, il/elle, ils/elles
mais je n'écris pas la même chose :
*je rest**e***
*tu rest**es***
*il/elle rest**e***
*ils/elles rest**ent***

ACTIVITÉ 1

Écris au présent le verbe *habiter*
et le verbe *quitter*.

ACTIVITÉ 2

Tu es en vacances à Nice, tu **écris** à un ami.
Voici des mots pour écrire ta lettre, choisis!
être à . . . - être content - aller - être à
l'hôtel - rester quelques jours - être bien ici -
quitter l'hôtel samedi - rentrer à . . . .

Commence la lettre par : « Je suis en
vacances... »

ACTIVITÉ 3

Refais cette lettre, mais commence par :
« Nous sommes . . . . »

DÉCOUVRE

un jour
possible
samedi

et les verbes habiter   rencontrer
parler   rentrer
passer   rester
quitter

12

Alain rencontre un ami

a

Alain habite à Saint-Malo. Il rencontre Gilles, un ami d'autrefois. Gilles habite à Nice, mais il est en vacances à Saint-Malo. Il va quitter Saint-Malo samedi.

Alain	Tiens! Salut, Gilles, comment ça va?
Gilles	Ça va bien, merci. Et toi?
Alain	Ça va. Tu habites à Saint-Malo maintenant?
Gilles	Non, j'habite toujours à Nice.
Alain	Tu es en vacances alors.
Gilles	Oui, toute la famille passe les vacances en Bretagne.

b

Alain	Tu restes encore quelque temps ici?
Gilles	Oui, je reste encore quelques jours.
Alain	Jusqu'à quand?
Gilles	Samedi, je quitte Saint-Malo. Mais je ne rentre pas encore à Nice.

c

Quelques jours après, Alain parle avec Pascale et Yvonne, les sœurs de Gilles. Comme Gilles, elles quittent Saint-Malo samedi.

Alain	Vous restez encore quelques jours ici?
Pascale	Non, non, nous ne restons pas. Ce n'est pas possible.
Alain	C'est dommage. Vous quittez Saint-Malo quand?
Yvonne	Demain. Mais nous restons encore quelques jours en Bretagne.

ACTIVITÉS

OBSERVE

le mot *grand* dans le texte :
grand salon, les *grandes* salles, la *grande* sœur.

Grammaire

singulier	pluriel
m. le gran**d** salon	m. les gran**ds** salons
f. la gran**de** salle	f. les gran**des** salles

ACTIVITÉ 1

Trouve le féminin :
1. Le petit salon et la . . . . chambre.
2. Alain est content - Marianne est . . . .
3. Le grand frère de Marc - La . . . sœur de Marie-Louise.

ACTIVITÉ 2

Écris les phrases de l'activité 1 au pluriel.

ACTIVITÉ 3

Tu es étudiant ou étudiante, **tu parles** de ta chambre.
« Ma chambre est . . . . »

ACTIVITÉ 4

Choisis la bonne phrase :
1. – La chambre de Marianne est grande et jolie.
   – La chambre de Marianne est petite et jolie.
2. – La petite salle est bien pour la boum.
   – La petite salle n'est pas assez grande.

OBSERVE

Les couleurs : **vert, bleu, noir, rouge,** jaune

	masculin		féminin
	vert		vert*e*
	bleu		bleu*e*
	noir		noir*e*
mais {	rouge	mais {	rouge
	jaune		jaune

ACTIVITÉ 5

Regarde le modèle :
J'ai un jean bleu.
Écris d'autres phrases avec les adjectifs de couleur.
Pour t'aider, regarde autour de toi.
Qu'est-ce qu'il y a ?

DÉCOUVRE

la cité universitaire   jolie
la cour   la Maison des Jeunes
une étudiante   pauvre
la fête   petite
le garçon   la salle des fêtes
grand/grande   le salon

et les verbes demander
venir

13

La boum de Marie-Louise, où est-ce?

a

Alain et Marc, deux grands amis, habitent à Troyes.
Dans la cour de l'école, les deux garçons parlent
de la boum de Marie-Louise, la sœur de Marc.

Alain	Salut, Marc. La boum de Marie-Louise, où est-ce?
Marc	C'est à la Maison des Jeunes.
Alain	Dans le grand salon?
Marc	Non, dans la petite salle des fêtes.
Alain	Pourquoi dans la petite salle? Il y a deux grandes salles dans la Maison des Jeunes.
Marc	Je ne sais pas. Mais la petite salle est assez grande pour la boum.

b

Pendant la boum de Marie-Louise, Alain
demande où est Marianne, la grande sœur de
Marie-Louise et de Marc.

Alain	Marianne vient aussi aujourd'hui?
Marc	Non, ce n'est pas possible.
Alain	Pauvre Marianne. Pourquoi ne vient-elle pas?
Marc	Elle n'habite plus à Troyes.
Alain	Ah! Où habite-t-elle alors?
Marc	A Paris. Elle est étudiante à Paris.
Alain	Ah bon! elle a une chambre à Paris?
Marc	Oui, elle a une chambre à la cité universitaire.
Alain	C'est bien, la cité universitaire?
Marc	Oh, la chambre est petite, mais très jolie.
Alain	Marianne est contente à Paris?
Marc	Oh, oui, elle est très contente.

ACTIVITÉS

OBSERVE

1. « *Comment t'*appelles-*tu* ? »
   « *Je m'*appelle Jean. » → *Il s'*appelle Jean.
   « Moi, *je m'*appelle Hélène. » → *Elle s'*appelle Hélène.
2. « La fille en jean, comment s'appelle-t-elle ? »
   « Elle s'appelle Mylène. »

Grammaire

1. Je m'appelle Claire.
2. Tu t'appelles Olivier.
3. Il s'appelle Marc.
4. Elle s'appelle Anne.

ACTIVITÉ 1

Pour obtenir les phrases de la grammaire, **pose les questions** correspondantes.

ACTIVITÉ 2

Demande à un(e) camarade :
comment { il s'appelle : « . . . . »
elle s'appelle : « . . . . »
Demande la même chose à d'autres camarades.

ACTIVITÉ 3

Comment ça va ?
Comment est la chambre de Marianne ?
Trouve d'autres questions avec *comment*.

ACTIVITÉ 4

Tu es Marianne - **Tu écris** dans ton « journal » :

Aujourd'hui, je rencontre Pierre, nous . . . . . ., nous . . . . . ., nous . . . . . ., je . . . . . ., etc.

ACTIVITÉ 5

Complète.
Marianne :
Elle voudrait aller chez le coiffeur.
Elle voudrait . . . . (aller/café)
Elle . . . . (visiter/musée)
Pierre :
Il . . . . (déjeuner/restaurant)
Il . . . . (téléphoner/Élise)

ACTIVITÉ 6

Choisis :•———•
a) La Tour Eiffel, où est-ce ?   • 1) Elle est petite.
b) Comment est la chambre de Marianne ? • 2) C'est dans l'est de la France.
c) Comment est le garçon qui danse ?   • 3) C'est à Paris.
d) Colmar, où est-ce ?   • 4) Il est beau.

DÉCOUVRE

le cinéma	le jean	*et les verbes* accepter
le coiffeur	le musée	s'appeler
la crémerie	la terrasse	connaître
la fille		danser
		déjeuner
		visiter

14

Comment t'appelles-tu?

a

Marianne Cartrou

b

Marianne Cartrou est de Troyes. Le père et la mère de Marianne habitent toujours à Troyes, mais Marianne habite à Paris maintenant. Elle a une petite chambre dans une maison à gauche de la crémerie de la rue Popin.

Près de la station de métro, devant le cinéma, elle rencontre un ami. Il s'appelle Pierre Duparc.

Marianne visite le Centre Pompidou avec Pierre. Il y a là un musée d'art moderne. C'est très intéressant.

Marianne et Pierre restent une heure dans le musée. Alors Marianne dit : « Il y a un restaurant dans le Centre Pompidou. Nous avons encore le temps de déjeuner ici, n'est-ce pas ? » « Bien sûr, c'est possible », dit Pierre. Il est très content...

Quelques minutes après, Marianne et Pierre entrent dans le restaurant. Ils déjeunent bien. Maintenant, ils sont sur la grande place devant le musée. Marianne va quitter Pierre. C'est samedi aujourd'hui. Elle voudrait aller chez le coiffeur. Dommage pour Pierre !

Mais Pierre demande : « Tu ne restes pas encore un peu avec moi ? Là, à droite de l'épicerie, il y a un café. »

Marianne accepte. Quelques instants après, ils sont à la terrasse. Marianne reste avec Pierre... Le coiffeur, c'est pour un autre jour !

15

Mireille se présente

a

Je m'appelle Mireille.
J'ai quatorze ans.
J'ai un frère, Patrick, et une sœur, Monique.
Patrick a dix-sept ans.
Monique a vingt ans.
Patrick est à gauche sur la photo.
Monique est à droite.
Et moi? Je suis entre Patrick et Monique.

b

François	Comment t'appelles-tu?
Mireille	Je m'appelle Mireille.
François	Quel âge as-tu?
Mireille	J'ai quatorze ans.
François	Tu as un frère?
Mireille	Oui. Il s'appelle Patrick.
François	Quel âge a-t-il?
Mireille	Il a dix-sept ans.

c

François	Tu as aussi une sœur, n'est-ce pas?
Mireille	Oui, j'ai aussi une sœur.
François	Comment s'appelle-t-elle?
Mireille	Elle s'appelle Monique.
François	Quel âge a-t-elle?
Mireille	Elle a vingt ans.

ACTIVITÉS

OBSERVE

Mireille, une jeune fille, *se présente* :
« Je m'appelle Mireille. »

ACTIVITÉ 1

Toi, tu dis : « Elle s'appelle Mireille, elle a
14 ans. » **Présente** aussi Patrick
et Monique.

ACTIVITÉ 2

Présente ta famille :
« Ma mère s'appelle .... »

ACTIVITÉ 3

à droite, à gauche, au centre.
Regarde la photo de la page 49 : Où est
Mireille ? Où sont Patrick et Monique ?

ACTIVITÉ 4

Ecris le nom et le prénom de toutes les
personnes de la famille DUPONT :
le grand-père : DUPONT Olivier,
la grand-mère . . . . **Continue.**

ACTIVITÉ 5

Complète :
Marianne a une chambre, c'est sa chambre.
J'ai deux frères, ce sont . . . .
Tu as des livres, ...
Il a un jean, ...
Tu as un cartable, ...

DÉCOUVRE

la branche   les parents
le cousin   la photo
la cousine   la tante
les grands-parents
le grand-père   *et le verbe* se présenter
la grand-mère
un oncle

Grammaire				
J'ai un frère → c'est mon frère	mon	m. s.	J'ai une sœur → c'est ma sœur	ma
Tu as un frère → c'est ton frère	ton		Tu as une sœur → c'est ta sœur	ta
Il/elle a un cousin → c'est son cousin	son		Il/elle a une cousine → c'est sa cousine	sa

f. s.

Mon grand-père et ma grand-mère → ce sont mes grands-parents   **mes**
Ton père et ta mère → ce sont tes parents   **tes**   pluriel
Son père et sa mère → ce sont ses parents   **ses**

La famille Dupont

ma sœur, Emilie

mon frère, Patrick

ma cousine, Pascale

moi, Daniel

mes parents: ma mère et mon père, Hélène et Emile Dupont

mon oncle et ma tante, Bertrand et Berthe Duval

mon cousin, Pierre

L'APRÈS MIDI

mes grands-parents: mon grand-père et ma grand-mère, Olivier et Odile Dupont

RRR... ZZZ...

d

Charles	Patrick est ton frère?
Daniel	Oui, c'est mon frère.
Charles	Et Émilie est ta sœur?
Daniel	Oui, c'est ma sœur.

e

Guy	Patrick est le frère de Daniel?
Charles	Oui, c'est son frère.
Guy	Et Émilie est la sœur de Daniel?
Charles	Oui, c'est sa sœur.

f

Charles	Le monsieur sur la branche est ton père?
Daniel	Oui, c'est mon père. Émilie, Patrick et moi, nous sommes ses enfants.
Charles	Et là, c'est ta grand-mère?
Daniel	Oui, c'est ma grand-mère. Mon père et ma tante Berthe sont ses enfants.

g

Guy	Ce sont tes parents?
Émilie	Oui, ce sont mes parents.

h

Charles	Pascale est ton amie?
Émilie	Oui, c'est ma cousine et mon amie aussi.
Charles	C'est une grande amie?
Émilie	Oui, c'est ma meilleure amie.

ACTIVITÉS

OBSERVE

Pourquoi ? Parce que...

ACTIVITÉ 1

Réponds :
Pourquoi la maman de Daniel dit : « Vite. »
→ *Parce que* ...
Pourquoi Daniel est en retard ? ...

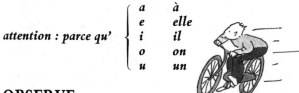

attention : parce qu'
$$
\begin{cases}
a & à \\
e & elle \\
i & il \\
o & on \\
u & un
\end{cases}
$$

OBSERVE

« *J'ai trouvé* tes livres. »

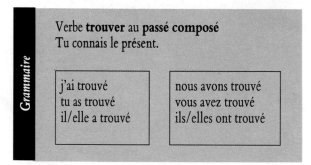

> *Grammaire*
>
> Verbe **trouver** au **passé composé**
> Tu connais le présent.
>
> | | |
> |---|---|
> | j'ai trouvé | nous avons trouvé |
> | tu as trouvé | vous avez trouvé |
> | il/elle a trouvé | ils/elles ont trouvé |

ACTIVITÉ 2

Voici un verbe de la leçon : chercher.
Écris le passé composé.

ACTIVITÉ 3

Regarde les affaires de Daniel.
Daniel dit : « Mes livres, ma gomme ..... »
Continue.
Toi, tu dis : « Ce sont ses livres, ... »
Continue.

ACTIVITÉ 4

La maman de Daniel parle à une amie.
rencontrer : « J'ai rencontré Madame
Dupont .... »

parler
trouver
réserver
$$\begin{cases}« \, J'.............. \text{ avec elle,} \\ \text{elle } .... \text{ un bon hôtel} \\ \text{pour les vacances et } .... \\ \text{une chambre. »} \end{cases}$$

Daniel parle à un copain :
regarder
trouver
$$\begin{cases}« \, .. \text{ un bon film à la télévision.} \\ ...... \text{ Alain Delon très bien. »} \end{cases}$$

ACTIVITÉ 5

La phrase en désordre :
écouté - nous avons - Jeunes - des - dansé -
nous avons - disques - et - la - à - Maison -
des.

Joue.
annuaire - crayon - plan - gomme - cahier -
bloc - ami - stylo - téléphone
Choisis les affaires que Daniel met dans son
cartable.
un ...
une ...

DÉCOUVRE

les affaires
un anniversaire
le cadeau
le chef de gare
le départ
la gare
une heure
Mademoiselle
le quai
la semaine

le train
le vélo
la voie

les verbes chercher
offrir
prendre
trouver

et le vocabulaire des illustrations.

16

Daniel va à l'école

a

Il est huit heures. Daniel est encore à table.

Maman	Tu es prêt, Daniel?
Daniel	Non, Maman, pas encore.
Maman	Vite, Daniel!
Daniel	Pourquoi, Maman?
Maman	Parce que tu es en retard, Daniel.

b

Daniel ne trouve pas ses affaires.

Maman	Tu as tes affaires?
Daniel	Non, Maman. Où est mon cartable?
Maman	Voici ton cartable. Vite, Daniel!

c

Maman	Tu as tout maintenant? Qu'est-ce que tu cherches?
Daniel	Je cherche mon stylo.
Maman	Voilà ton stylo. Qu'est-ce que tu cherches encore?
Daniel	Mes livres, où sont mes livres?
Maman	Voilà! J'ai trouvé tes livres. Vite, vite, Daniel!
Daniel	Merci, Maman.

Enfin, Daniel prend son vélo et va à l'école.

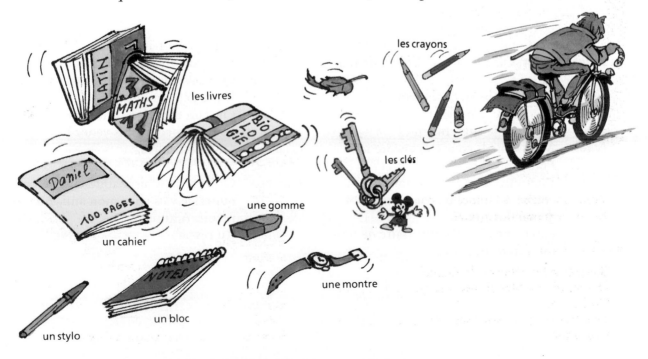

les livres les crayons les clés une gomme un cahier une montre un bloc un stylo

Nicole Bollard

d

Nicole Bollard a quinze ans. Elle habite à Voiron, une jolie petite ville. Ce n'est pas loin de Grenoble. Le frère de Nicole s'appelle Bernard. Il a presque dix-huit ans. Nicole a une amie à Grenoble. Elle s'appelle Claudine.

Aujourd'hui, Nicole quitte Voiron. Elle va chez Claudine. Elle prend le train pour Grenoble. Le départ de l'express est à 14 h 57. Une heure avant le départ, Nicole est déjà à la gare. Elle demande où est le train. Le chef de gare dit : « C'est quai 4, voie 2. Vous n'êtes pas en retard, Mademoiselle ! »

À 15 h 16, Nicole est à Grenoble. Elle va à la poste pour téléphoner à ses parents. Elle dit à sa mère : « Je suis à la poste de Grenoble. Tout va bien. Je vais vite chez Claudine maintenant. Elle habite tout près d'ici. Au revoir, Maman. »

Quelques minutes après, Nicole est dans la rue Mousset où habite Claudine. Elle cherche le numéro de la maison. C'est le 68. Devant la

maison, elle rencontre Françoise, la sœur de son amie. Nicole demande si Claudine est là. « Oui, elle est là », répond Françoise. Françoise et Nicole entrent dans la maison.

Quelques instants après, Nicole est dans la chambre de Claudine.

e

Claudine	Bonjour, Nicole. Comment ça va ?
Nicole	Salut, Claudine. Ça va bien, merci. Et toi ?
Claudine	Très, très bien, car la semaine prochaine, c'est les vacances à Biarritz. Je suis contente !
Nicole	Mais samedi vous êtes encore ici, Françoise et toi ?
Françoise	Bien sûr. Samedi, nous sommes encore à Grenoble. Mais pourquoi demandes-tu ça ?
Nicole	Parce que c'est l'anniversaire de mon frère Bernard.
Claudine	Quel âge a-t-il ?
Nicole	Dix-huit ans.
Françoise	Qu'est-ce que tu offres à ton frère ? Tu as déjà un cadeau ?
Nicole	Oui, un très beau stylo. Il y a une boum samedi. Vous venez ?
Claudine	Oui, volontiers.
Nicole	Entre huit et neuf heures, ça va ?
Françoise	Oui, ça va. Mais maintenant, je vous quitte, je vais chez mon ami. Au revoir. A samedi.
Nicole	Au revoir.

REVUE POUR TOUS

RPT **2**

2

LA
VIE
DE
TOUS
LES
JOURS

L'HISTOIRE
DE FRANCE

|5|26|34|
LE CINEMA
RPT · JOUR

LES GRANDS BOULEVARDS

LA COURSE DE TAUREAUX

1

LA VIE DE TOUS LES JOURS

... en ville,

La vie à Marne-la-Vallée, une « ville nouvelle », ...

Les Français et les Françaises font leurs achats à l'hypermarché...

... et à la campagne, c'est différent !

... ou à la petite épicerie...

ou ...

... au grand magasin ...

Les P.T.T., c'est moderne ...

... ou pas encore!

Le maire de Paris, M. Jacques Chirac, ...

... et son collègue, le maire de Manent-Montané.

... ou bien,
ils reçoivent tout par la poste.

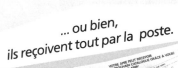

... à la campagne

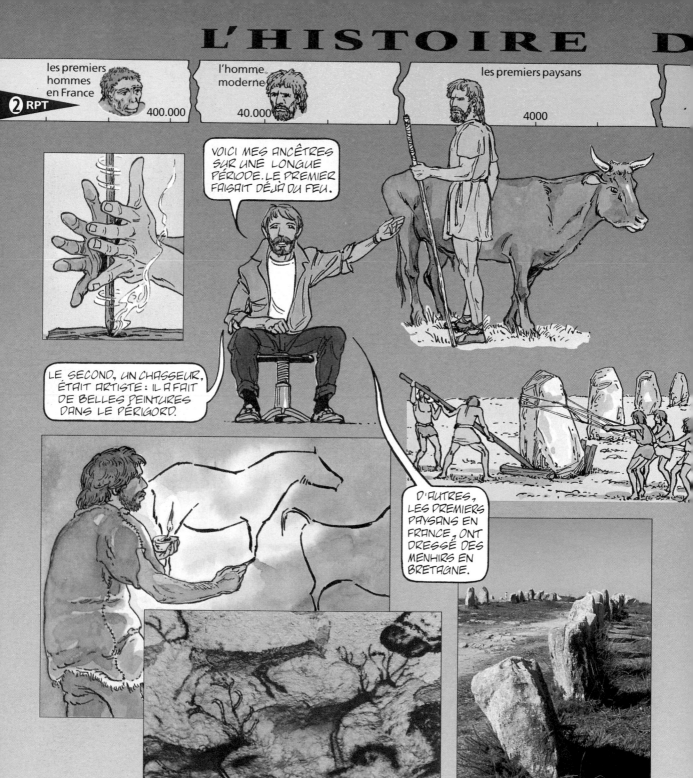

les premiers hommes en France

400.000

l'homme moderne

40.000

les premiers paysans

4000

2 RPT

VOICI MES ANCÊTRES SUR UNE LONGUE PÉRIODE. LE PREMIER FAISAIT DÉJÀ DU FEU.

LE SECOND, UN CHASSEUR, ÉTAIT ARTISTE : IL A FAIT DE BELLES PEINTURES DANS LE PÉRIGORD.

D'AUTRES, LES PREMIERS PAYSANS EN FRANCE, ONT DRESSÉ DES MENHIRS EN BRETAGNE.

les Celtes · (les Gaulois) · les Romains · les Francs

00 · 500 · 0 · 300 · 400 · 500 · 700 · RPT 2

LES ROMAINS ONT CONSTRUIT DES AQUEDUCS ET DES ARÈNES POUR LES JEUX DE CIRQUE.

APRÈS LES ROMAINS : LES FRANCS.

IL RESTE ENCORE QUELQUES BELLES ÉGLISES DE CETTE PÉRIODE.

MON PAUVRE ARRIÈRE-ARRIÈRE GRAND-PÈRE, UN GAULOIS, ÉTAIT GLADIATEUR.

ILS ÉTAIENT CHRÉTIENS ET ILS ONT DONNÉ LEUR NOM À NOTRE PAYS.

Pierre et Djemila

Histoire de l'amour de Pierre, jeune Français de 17 ans, et Djemila, petite Algérienne de 14 ans. Les familles causent des problèmes. Mariage préparé en Algérie par l'oncle de Djemila, conflits religieux.
Premier film des acteurs Jean-Pierre André (Pierre) et Nadja Reski (Djemila). ███ tres acteurs sont des non-professionels. Le film fait partie de la sélection officielle du 40ième Festival de Cannes.

PHILIPPE DIAZ présente
UN FILM DE
GERARD BLAIN

PIERRE ET DJEMILA

NADJA RESKI et JEAN-PIERRE ANDRE

5 26 34
LE CINEMA
RPT   JOUR

CANNES
Festival International du Film

Le président du jury, Yves Montand, ouvre le 40ième Festival International du Film de Cannes. En direct à la télé!
Toutes les vedettes du cinéma sont là. Les photographes et les journalistes font leurs reportages. 30.000 personnes assistent au Festival chaque année. Les hôtels? Tous complets. Pour les fanatiques: le camping sur la plage.
C'est la foire. On passe 500 films. Impossible de voir tout. Après quatre ou cinq films, on est claqué. Les cinémas sont pleins quand même ...

LES ETOILES DE PREMIERE

	Antoinette Boulat	Jean-Paul Chaillet	Jean-Ph. Guerand	Jean-Cl. Loiseau	Stella Molitor	Bertrand Mosca	Vous
Buisson ardent	O	O	X	X			
Chronique d'une mort...	X X X	X	X X X	X	X		
Cœurs croisés		X X	X X				
Dangereuse sous tous...	X X	X X	X	X X	X X	X X	
Les enfants du silence	X X X	X X X	X X X	X X X			
L'été en pente douce	X X	O	X X	X	X		
Une flamme dans mon cœur	X	X X					
Good morning Babilonia	X X X	X X X X	X X X X	X X X X	X X X	X X X	
Le grand chemin	X	X X X	X X X	X X X		X X X	
Un homme amoureux	X	X X	X X X	X	X		
La ménagerie de verre	X X	X X	X X	X X		X X X	
Mon bel amour...	O O	O O	O O				
Pierre et Djemila	X	X X X	X	X X X	X X X		
Tandem	X X X	X X	X X X	X X	X X		

x x x x : j'adore. x x x : j'aime beaucoup. x x : j'aime bien. x : j'aime un peu. O : je n'aime pas tellement. OO : je n'aime pas du tout.

A la fin du Festival, le jury distribue les prix. Cette année, la Palme d'Or est pour un film français: »Sous le soleil de Satan« avec Gérard Depardieu et Sandrine Bonnaire. Le public applaudit ...

LES GRANDS BOULEVARDS

J'aime *flâner* sur les grands boulevards   *se promener*
Y a tant de choses, tant de choses,
Tant de choses à voir.
On n'a qu'à choisir au hasard
On s'fait des *ampoules*   *petites brûlures sous le pied*
A zigzaguer parmi la foule.   *(à trop marcher)*
J'aime les baraques et les bazars
Les étalages, les loteries
Et les *camelots* bavards   *les marchands de la rue*
Qui vous débitent leurs *bobards*   *mensonges pour vendre*
Ça fait passer l'temps
Et l'on oublie son *cafard*.   *tristesse, mélancolie*

Je ne suis pas riche à million
Je suis *tourneur* chez Citroën   *ouvrier mécanicien spécialisé*
J'peux pas me payer des distractions
Tous les jours de la semaine
Aussi moi, j'ai mes petites manies
Qui me font plaisir et ne coûtent rien
Ainsi, dès le travail fini
Je file entre *la porte Saint-Denis*   *endroits de Paris*
Et *le boulevard des Italiens.*

J'aime flâner sur les grands boulevards
Y a tant de choses, tant de choses,
Tant de choses à voir.
On y voit les grands jours d'espoir
Des jours de colère
Qui font sortir *le populaire*   *le peuple, les gens*
Là vibre le cœur de Paris
Toujours ardent, parfois *frondeur*   *qui aime critiquer*
Avec ses chants et cris
Et de jolis moments d'histoire
Sont écrits partout le long
De nos grands boulevards.

J'aime flâner sur les grands boulevards
Les soirs d'été quand tout le monde
Aime bien se coucher tard
On a des chances d'apercevoir
Deux yeux *angéliques*   *très beaux*
Que l'on suit jusqu'à *République*   *place de Paris*
Puis je retrouve mon petit hôtel
Ma chambre où la fenêtre donne
Sur un coin du ciel
D'où me parviennent comme un appel
Toutes les *rumeurs,* toutes les lueurs   *les bruits*
Du monde *enchanteur*   *magique, merveilleux*
Des grands boulevards.

RPT ②

Dans le sud de la France, la corrida (la course de taureaux) est très populaire, comme en Espagne et au Portugal.

LA COURSE DE TAUREAUX

FÉRIA de NIMES 1987

6 CORRIDAS

MERCREDI 3 JUIN 18 H.

Toros de MIURA

**RUIZ MIGUEL - NIMENO II
CURRO DURAN**

JEUDI 4 JUIN 18 H.

Toros de JANDILLA

**CURRO VAZQUEZ - PACO OJEDA
ESPARTACO**

front
européen
anti-corrida

LA SPA DEMANDE
L'INTERDICTION DES CORRIDAS
EN FRANCE

NIMES
ville de **SANG**

IL Y A UNE COURSE DE TAUREAUX. ON Y VA?

OUI, J'AIME LA CORRIDA. LES TORÉROS SONT MAGNIFIQUES!

TU AIMES ÇA, TOI?

MOI, JE DÉTESTE ÇA. JE N'Y VAIS PAS. TUER UN ANIMAL POUR AMUSER LE PUBLIC! C'EST ABOMINABLE!

MAIS ICI, C'EST UNE COURSE PROVENÇALE. ON NE TUE PAS LE TAUREAU!

NON, MAIS JE N'AIME PAS LE SPECTACLE. LES TAUREAUX N'AIMENT PAS AMUSER LE PUBLIC. IL FAUT LES LAISSER VIVRE EN CAMARGUE.

17

Quel jour est-ce aujourd'hui?

CALENDRIER

JANVIER	FÉVRIER	MARS	AVRIL	MAI	JUIN
1 S JOUR DE L'AN	1 M Ste Ella	1 M St Aubin	1 S St Hugues	1 L FÊTE DU TRAVAIL	1 J St Justin
2 D Epiphanie	2 M Prés. du Seigneur	2 J St Charles le Bon	2 D PÂQUES	2 M St Boris	2 V Ste Blandine
3 L Ste Geneviève	3 J St Blaise	3 V St Guenolé	3 L St Richard	3 M St Phil. et Jacques	3 S St Kévin
4 M St Robert de R.	4 V Ste Véronique	4 S St Casimir	4 M St Isidore	4 J St Sylvain	4 D Fête-Dieu
5 M St Edouard	5 S Ste Agathe	5 D Ste Olive	5 M Ste Irène	5 V Ste Judith	5 L St Fernand
6 J St Melaine	6 D St Gaston	6 L Ste Colette	6 J St Marcellin	6 S Ste Prudence	6 M St Norbert
7 V St Raymond	7 L Ste Eugénie	7 M Ste Félicité	7 V St J.-B. de la Salle	7 D Ste Gisèle	7 M Ste Marie-Thérèse
8 S Ste Peggy	8 M Ste Jacqueline	8 M St J. de Dieu	8 S Ste Julie	8 L Victoire 1945	8 J St Médard
9 D Ste Alix	9 M Ste Apolline	9 J Mi-Carême	9 D St Renaud	9 M St Pacôme	9 V Ste Diane
10 L St Guillaume	10 J St Arnaud	10 V St Vivien	10 L St Fulbert	10 M Ste Solange	10 S St Landry
11 M St Paulin	11 V N.-D. de Lourdes	11 S St Fulnge	11 M St Stanislas	11 J Ascension	11 D St Barnabé
12 M Ste Tatiana	12 S St Félix	12 D Ste Justine	12 M St Jules	12 V St Achille	12 L St Placide
13 J St Remi	13 D Ste Béatrice	13 L St Rodrigue	13 J Ste Ida	13 S Ste Rolande	13 M St Ant. de Padoue
14 V Ste Nina	14 L St Valentin	14 M Ste Mathilde	14 V Ste Lidwine	14 D Fête J. d'Arc	14 M Ste Elisée
15 S Ste Rachel	15 M Mardi gras	15 M Ste Louise de M.	15 S St Paterne	15 L Ste Denise	15 J St Guy
16 D St Marcel	16 M Cendres	16 J Ste Bénédicte	16 D St Bernadette	16 M St Honoré	16 V Ste Yolande
17 L Ste Roselyne	17 J St Alexis	17 V St Patrice	17 L St Etien. Harding	17 M St Pascal	17 S St Hervé
18 M Ste Prisca	18 V St Lavien	18 S St Cyrille	18 M St Parfait	18 J St Eric	18 D FÊTE DES PÈRES
19 M St Marius	19 S St Gabin	19 D St Joseph	19 M Ste Emma	19 V St Yves	19 L St Romuald
20 J St Sébastien	20 D Carême	20 L PRINTEMPS	20 J Ste Odette	20 S St Bernardin	20 M St Silvère
21 V St Agnès	21 L St P. Damien	21 M Ste Clémence	21 V St Anselme	21 D PENTECÔTE	21 M ÉTÉ
22 S St Vincent	22 M Ste Isabelle	22 M Ste Léa	22 S Ste Alexandre	22 L St Emile	22 J St Alban
23 D St Barnard	23 M St Lazare	23 J St Victorien	23 D St Georges	23 M St Didier	23 V St Walter
24 L St Fr. de Sales	24 J St Modeste	24 V Ste Catherine de S.	24 L St Fidèle	24 M St Donatien	24 S St Jean-Baptiste
25 M Conv. St Paul	25 V St Roméo	25 S Annonciation	25 M St Marc	25 J Ste Sophie	25 D St Prosper
26 M Ste Paule	26 S St Nestor	26 D Rameaux	26 M Ste Alda	26 V St Bérenger	26 L St Anthelme
27 J Ste Angèle	27 D Ste Honorine	27 L St Habib	27 J Ste Zita	27 S St Augustin de C	27 M St Cyrille d'Alex.
28 V St Th. d'Aquin	28 L St Romain	28 M St Gontran	28 V Ste Valérie	28 D FÊTE DES MÈRES	28 M St Irénée
29 S St Gildas	29 M St Auguste C.	29 M St Jonas	29 S Ste Cath. de Sienne	29 L St Aymar	29 J St Pierre et Paul
30 D Ste Martine		30 J St Amédée	30 D Souv. Déportés	30 M St Ferdinand	30 V St Martial
31 L Ste Marcelle		31 V St Benjamin		31 M Visit. de la Vierge	

un mois

JUILLET	AOÛT	SEPTEMBRE	OCTOBRE	NOVEMBRE	DÉCEMBRE
1 S St Thierry	1 M St Alphonse	1 V St Gilles	1 D Ste Thér. de l'E.-J.	1 M Toussaint	1 V Ste Florence
2 D St Martinien	2 M St Eusèbe	2 S St Hébert	2 L St Léger	2 J Défunts	2 S Ste Viviane
3 L St Thomas	3 J Ste Lydie	3 D St Grégoire	3 M St Gérard	3 V St Hubert	3 D Avent
4 M St Florent	4 V St J.-M. Vianney	4 L St Fr. d'Assise	4 M St Fr. d'Assise	4 S St Charles	4 L Ste Barbara
5 M St Antoine-Marie	5 S St Oswald	5 M Ste Raissa	5 J Ste Fleur	5 D Ste Sylvie	5 M St Gérald
6 J Ste Mariette	6 D Transfiguration	6 M St Bertrand	6 V St Bruno	6 L Ste Bertille	6 M St Nicolas
7 V St Raoul	7 L St Gaëtan	7 J Ste Reine	7 S St Serge	7 M Ste Carine	7 J St Ambroise
8 S St Thibaut	8 M St Dominique	8 V Nativité	8 D Ste Pélagie	8 M St Geoffroy	8 V Imm. Conception
9 D Ste Amandine	9 M St Amour	9 S St Alain	9 L St Denis	9 J St Théodore	9 S St P. Fourrier
10 L St Ulrich	10 J St Laurent	10 D Ste Inès	10 M St Ghislain	10 V St Léon	10 D St Romaric
11 M St Benoît	11 V Ste Claire	11 L St Adelphe	11 M St Firmin	11 S Armistice 1918	11 L St Daniel
12 M St Olivier	12 S Ste Clarisse	12 M St Apollinaire	12 J St Wilfried	12 D St Christian	12 M Ste J.-F. Chantal
13 J St Henri et Joël	13 D St Hippolyte	13 M St Aimé	13 V St Géraud	13 L St Brice	13 M Ste Lucie
14 V FÊTE NATIONALE	14 L St Evrard	14 J La Croix Glorieuse	14 S St Juste	14 M St Sidoine	14 J Ste Odile
15 S St Donald	15 M Assomption	15 V St Roland	15 D Ste Térèse	15 M St Albert	15 V Ste Ninon
16 D N.-D. Mt Carmel	16 M St Armel	16 S Ste Edith	16 L Ste Edwige	16 J Ste Marguerite	16 S Ste Alice
17 L Ste Marina	17 J St Hyacinthe	17 D St Robert Bellar.	17 M St Baudouin	17 V Ste Elisabeth	17 D St Judicaël
18 M St Frédéric	18 V Ste Hélène	18 L St Luc	18 M St Luc	18 S Ste Aude	18 L St Gatien
19 M St Arsène	19 S St Jean Eudes	19 M Ste Emilie	19 J St René	19 D St Tanguy	19 M St Urbain
20 J St Elie	20 D St Bernard	20 M St Davy	20 V Ste Aline	20 L St Edmond	20 J St Abraham
21 V St Victor	21 L St Christophe	21 J St Matthieu	21 S Ste Céline	21 M St Gélase	21 V HIVER
22 S Ste Marie-Madel.	22 M St Symphorien	22 V AUTOMNE	22 D Ste Elodie	22 M Ste Cécile	22 V Ste F.-Xavière C.
23 D Ste Brigitte	23 M Ste Rose de Lima	23 S St Constant	23 L St Jean de C.	23 J St Clément	23 S St Armand
24 L Ste Christine	24 J St Barthélemy	24 D Ste Thècle	24 M St Florentin	24 V Ste Augusta	24 D Ste Adèle
25 M St Jacques	25 V St Louis	25 L St Hermann	25 M St Crépin	25 S Ste Catherine L.	25 L NOËL
26 M Ste Anne et J.	26 S Ste Natacha	26 M St Côme et Dam.	26 J St Dimitri	26 D St Conrad	26 M St Etienne
27 J Ste Nathalie	27 D Ste Monique	27 M St Vinc. de Paul	27 V Ste Emeline	27 L St Séverin	27 M St Jean Apôtre
28 V St Samson	28 L St Augustin	28 J St Wenceslas	28 S St Simon et Jude	28 M St Jacq. de la M.	28 J SS. Innocents
29 S Ste Marthe	29 M Ste Sabine	29 V St Michel	29 D St Narcisse	29 M St Saturnin	29 V St David
30 D Ste Juliette	30 M St Fiacre	30 S St Jérôme	30 L Ste Bienvenue	30 J St André	30 S St Roger
31 L St Ign. de Loyola	31 J St Aristide		31 M St Wolfgang		31 D ST SYLVESTRE

dimanche *lundi* *mardi* *mercredi* *jeudi* *vendredi* *samedi*

une semaine

une année

Le trente septembre

Le premier octobre

Le deux octobre

a

Marianne	Quel jour est-ce aujourd'hui?
Yvonne	C'est mardi.
Marianne	Quelle date est-ce?
Yvonne	C'est le 1er octobre.
Marianne	Ce n'est pas le 2 octobre aujourd'hui?
Yvonne	Non, non, c'est le 1er octobre.

ACTIVITÉS

OBSERVE

Le calendrier de la page précédente :
un jour, une semaine, un mois, une année.

ACTIVITÉ 1

Lis et écris les 7 jours de la semaine et
souligne les jours où tu vas à l'école.

ACTIVITÉ 2

Lis les mois de l'année.
Combien de mois dans une année ? Dans
une année, il y a . . . . . .
Combien de jours dans une semaine ?
Combien de semaines dans l'année ?

> **Grammaire**
>
> **Quel** jour est-ce aujourd'hui ?
> ou quel jour sommes-nous ?
> ou c'est **quelle** date ?
> ou quelle date est-ce ?
> masculin : quel
> féminin : quelle

ACTIVITÉ 3

soixante - quarante - cinquante - trente -
soixante-dix - vingt.

Classe ces nombres dans l'ordre et écris-les.

ACTIVITÉ 4

Quel est le jour de *ton* anniversaire ? Le jour
de *ta* fête ?

Regarde le calendrier. Quel est le jour de la
fête nationale française ? Et dans ton pays ?

ACTIVITÉ 5

Regarde le calendrier.
Le printemps, c'est le . . . .
L'été, . . .
L'automne, . . .
L'hiver, . . .

> **Grammaire**
>
> Nous sommes
> au printemps
> en été   } **en** devant
> en automne   } a, e, i, o, u, h
> en hiver

DÉCOUVRE

chaud
la date
la fête   les saisons { printemps
froid   été
triste   automne
                                     hiver

les verbes s'habiller   les mois de l'année
            savoir   les jours de la semaine
                            et les fêtes du calendrier.

vingt et un

vingt-deux

vingt-trois

trente

quarante

cinquante

soixante

b

Jean	Ton anniversaire, c'est quand?
Elisabeth	C'est le 1ᵉʳ février.
Jean	Et l'anniversaire de ton frère?
Elisabeth	C'est le 2 août.
Jean	Et l'anniversaire de ta sœur?
Elisabeth	C'est le 3 mars.

c

Louis	Ta fête, c'est quand?
Raymond	C'est le 7 janvier. Et toi, tu as ta fête quand?
Louis	Ma fête, c'est le 25 août.

d

Michel	Mon anniversaire, c'est au printemps, le 4 mai. Et ton anniversaire, Catherine?
Catherine	C'est en été, le 9 août. Et ton anniversaire, Paul?
Paul	C'est en automne, le 24 octobre. Et ton anniversaire, Marianne?
Marianne	C'est en hiver, le 12 décembre.

JANVIER	FÉVRIER
1 S JOUR DE L'AN	1 M Ste Ella
2 D Epiphanie	2 M Prés. du Seigneur
3 L Ste Geneviève	3 J St Blaise
4 M St Robert de R.	4 V Ste Véronique
5 M St Edouard	5 S Ste Agathe
6 J St Melaine	6 D St Gaston
7 V St Raymond	7 L Ste Eugénie
8 S Ste Peggy	8 M Ste Jacqueline
9 D Ste Alix	9 M Ste Apolline
10 L St Guillaume	10 J St Arnaud
11 M St Paulin	11 V N.-D. de Lourdes
12 M Ste Tatiana	12 S St Félix
13 J St Remi	13 D Ste Béatrice
14 V Ste Nina	14 L St Valentin
15 S Ste Rachel	15 M Mardi gras
16 D St Marcel	16 M Cendres
17 L Ste Roselyne	17 J St Alexis
18 M Ste Prisca	18 V St Lavien
19 M St Marius	19 S St Gabin
20 J St Sébastien	20 D Carême
21 V Ste Agnès	21 L St P. Damien
22 S St Vincent	22 M Ste Isabelle

Quel temps fait-il?

THERMOMÈTRE

45	N⁴ CALÉDONIE
CHAL. HUMAINE 35 BAIN ORD⁴	ESSAIM ABEILLES
	40
	30 MAT⁴ DU RAISIN
25	
CHAM. MALADE	20
15	APPARTEMENTS
ORANGERS	10
5	
GLACE ← → 0	
5	VIN GELÉ
RIVIÈRES GELÉES	10
15	
PARIS 1871	20
25	LYON 1881
	30

CHOCOLAT RÉVILLON

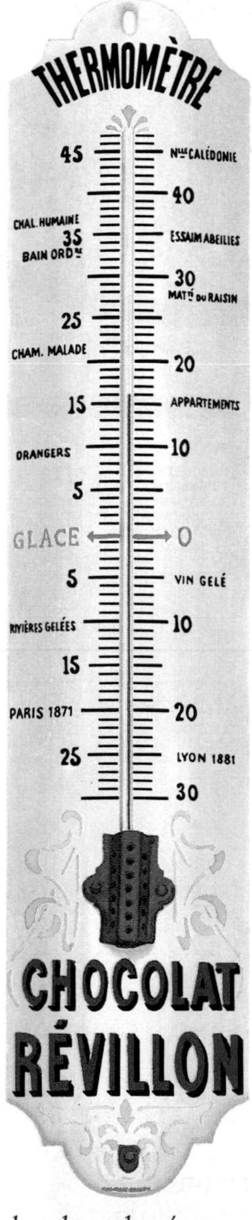

chaud: 30 degrés
froid: moins 20 degrés

1

EN ÉTÉ... CHÂTEAU LEBRAC PUR PORC CAMEMBERT LE COULANT NORMAND

...IL FAIT BEAU, IL FAIT CHAUD, IL FAIT DU SOLEIL.

2

MAIS SOUVENT, IL FAIT MAUVAIS, IL PLEUT...

CRAC! CRAC!

EN HIVER...

...IL FAIT FROID, IL GÈLE.

ZWIP!

4

SWITCH!!!

...ET SOUVENT, IL FAIT DU

CATACLANG!

6

...OÙ IL FAIT DU VENT.

AAÂH !!!

3

DÉCOUVRE

le brouillard
le degré
mauvais

et les verbes geler
neiger
pleuvoir

QUELQUEFOIS, IL NEIGE...

5

BROUILLARD.

?!

RANG !

BLANG !

ACTIVITÉS

OBSERVE

Quel temps fait-il ? Regarde
les images 1, 2, 3, 4, 5, 6.

Il fait beau, il fait très beau.
Il fait froid, il fait très froid.
Il fait mauvais, il fait très mauvais.

Il fait *du* soleil, il y a du soleil.
Il fait *du* vent, il y a du vent.
Il fait *du* brouillard,
  il y a du brouillard.

Mais aussi,
Il pleut (image 2)
(la pluie)
Il neige (image 5)
(la neige)

ACTIVITÉ 1

Réponds :
Dans ton pays, il y a combien
de saisons ?
Quel temps fait-il aujourd'hui ?

ACTIVITÉ 2

Tu es en vacances à la mer.
Tu écris une petite carte
à un ami ou une amie.
Voici des mots utiles :
Cher ami / Chère amie /
être en vacances / famille /
amis / hôtel / près de / plage /
chaud / bien / baisers

ACTIVITÉS

OBSERVE

C'est une photo de *vos* vacances? Oui, c'est une photo de *nos* vacances.
C'est *votre* tente? Oui, c'est *notre* tente.
C'est *leur* caravane? Oui, c'est *leur* caravane.

Grammaire				
notre votre leur	masculin et féminin singulier	nos vos leurs	masculin et féminin pluriel

ACTIVITÉ 1

Complète :
Nous avons un bateau. C'est ...... bateau.
Ils ont une caravane. C'est ....
Vous avez des livres. Ce sont ....
Elles ont des enfants. Ce sont ....

ACTIVITÉ 2

Voici la réponse, **trouve** la question :
1) .... ?
Oui, c'est notre caravane.
2) .... ?
Oui, ce sont nos trois enfants.

ACTIVITÉ 3

Réécris le 2e paragraphe de la page 70.
Alice parle et dit :
« J'habite à Avignon... »
Continue.

Tu veux ma photo ?

Grammaire	
	un cad**eau** - des cad**eaux**
	un bat**eau** - des bat**eaux**

DÉCOUVRE

un arbre
le bateau
la caravane
la fin
formidable
haut
minuit
la neige
propre
le sable
la tente
le terrain
la voiture

et les verbes donner
naître
penser
regarder

19

Photo de vacances

a

Claudine	C'est une photo de vos vacances?
Daniel	Oui, c'est une photo de nos vacances. C'est sur la Côte d'Azur.
Claudine	C'est votre tente, à gauche?
Daniel	Oui, c'est notre tente.
Claudine	Et la voiture derrière la petite tente, c'est votre voiture?
Daniel	Non, ce n'est pas notre voiture. C'est la voiture de nos amis Duparc.
Claudine	La caravane à côté, c'est leur caravane?
Daniel	Non, c'est la caravane de la famille Leloux.
Claudine	Et ça, c'est leur bateau?
Daniel	C'est le bateau de leurs enfants.

b

Claudine	Le camping est bien?
Daniel	Ah, oui. Il est très bien. Le terrain est formidable.
Claudine	Il ne fait pas trop chaud?
Daniel	Non, non. Tu vois les arbres. Ils ne sont pas hauts. On est bien sous les arbres.
Claudine	Où sont vos tentes?
Daniel	Elles sont derrière les caravanes.
Claudine	Comment est la plage?
Daniel	Oh, elle est jolie. Le sable est très propre partout.

Alice Lebrun

Alice dit : « Non, Maman, je ne trouve pas ma montre, je cherche mon crayon, je cherche mon stylo, je cherche ma gomme. Oh là là, je cherche toujours tout. Ah, voilà ma montre ! »

d

Une semaine après l'anniversaire d'Alice c'est déjà Noël. Décembre est vraiment un mois de fêtes, surtout la semaine de Noël. Ce sont les fêtes de fin d'année.

En France, Noël est une très grande fête. C'est une fête de famille. Les grands-parents d'Alice sont là, ses oncles et tantes sont là, tout le monde est là.

Les enfants regardent les cadeaux sous l'arbre de Noël. Il y a un beau cadeau pour Alice. Son frère Luc et son cousin Guy ont aussi leurs cadeaux. Les parents d'Alice... pardon, le Père Noël donne un cadeau à tout le monde.

Puis, quelques jours après Noël, c'est la Saint-Sylvestre, le 31 décembre. Alors, à minuit, tout le monde dit : « Bonne année ! »

Alice pense : « Je suis contente, j'ai déjà mes cadeaux d'anniversaire. Nous avons nos cadeaux de Noël. Et le jour de l'an, c'est encore un jour de cadeaux pour les enfants. C'est presque trop. Quelle semaine formidable ! »

c

Nous sommes en hiver. C'est le 16 décembre, un lundi. Il fait froid, il gèle depuis quelques jours. Et il neige. Il ne neige pas souvent à Avignon, mais aujourd'hui, la neige tombe partout. Quel temps !

Alice habite à Avignon avec ses parents. Elle va toujours à l'école à vélo. Ce n'est pas loin, mais aujourd'hui, elle est en retard. A neuf heures, elle n'est pas encore prête. Pourquoi ? Parce que c'est son anniversaire. Alice a quinze ans aujourd'hui. Sa mère dit : « Vite, vite, Alice ! Qu'est-ce que tu cherches ? Tu n'as pas ta montre ? »

20

Yves et Guy font de l'autostop

70	soixante-dix
71	soixante et onze
72	soixante-douze
77	soixante-dix-sept
80	quatre-vingts
81	quatre-vingt-un
82	quatre-vingt-deux
90	quatre-vingt-dix
91	quatre-vingt-onze
176	cent soixante-seize
1000	mille

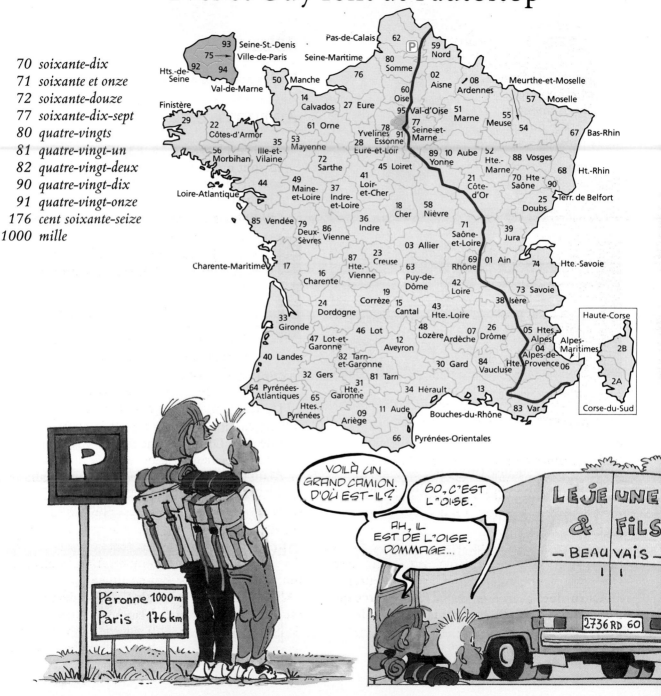

ACTIVITÉS

OBSERVE

Sur la carte de France,
il y a les numéros
des départements :
57 : c'est le numéro
de la Moselle

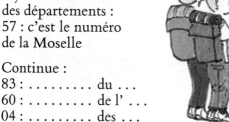

Continue :
83 : . . . . du . . .
60 : . . . . de l' . . .
04 : . . . . des . . .

J'écris : **de la,** pour un mot féminin
du, pour un mot masculin

de l' $\begin{cases} a & o \\ e & u \\ i & y \\ h \text{ muet} \end{cases}$ masculin ou féminin

des pluriel

ACTIVITÉ 1

Complète :
Il est . . . Vaucluse (m).
Il est . . . Ardennes (pl.).
Il est . . . Oise (f).
Il est . . . Loire (f). } Quel est leur numéro ?

ACTIVITÉ 2

Complète avec de la, du, de l' :
C'est un élève . . . lycée Victor Hugo (le lycée).
C'est une fille . . . équipe de basket (l'équipe).
C'est un enfant . . . famille Dupont.

OBSERVE

Lis les nombres à gauche de la carte (p. 71).

ACTIVITÉ 3

Écris en lettres : 76, 83, 85, 92, 100.
Ils sont en route. À combien de kilomètres sont-ils d'Auxerre ? et de Paris ?
Lis aussi le numéro d'immatriculation du camion.

Le Monsieur dit à Yves et à Guy : « **Montez !** »
La maman dit à Luc et à Guy de regarder les cadeaux : « **Regardez !** » mais elle dit à Alice : « **Regarde !** »
C'est **l'impératif.**

ACTIVITÉ 4

Utilise le verbe *chercher* :
Maman dit à Daniel : « . . . . . . tes affaires. »
Elle dit à Daniel et Luc : « . . . vos affaires. »
et le verbe *rester* :
Alain dit à Pascal : « . . . . . quelques jours ! »
Alain dit à Pascale et Yvonne :
« . . . . quelques jours. »

DÉCOUVRE

un auto-stoppeur
la bagnole
le camion
le département

les verbes monter
regretter

et le vocabulaire enregistré :
la boulangerie
la boucherie
la pâtisserie
la quincaillerie
la droguerie
la charcuterie

ACTIVITÉS

OBSERVE

Tu viens ?   Oui, je viens.

Grammaire

Verbe **venir,** au présent

je viens	nous venons
tu viens	vous venez
il/elle vient	ils/elles viennent

ACTIVITÉ 1

Voici des mots : l'hôtel, la plage, le musée, le cinéma, le café.

Fais des phrases. Regarde le modèle :
Alice, tu viens *à la* poste ?
Anne, ... (école).
Pierre, ... (cinéma).

> **attention à la, au, à l'**

OBSERVE

Elle veut aller au cinéma, je peux téléphoner ?

Grammaire

Verbe **vouloir**		Verbe **pouvoir**	
je veux	sortir	je peux	venir
tu veux	manger	tu peux	parler
il/elle veut	partir	il/elle peut	entrer

ACTIVITÉ 2

Réponds aux questions :
Où est-ce que Bernard veut aller ? Il . . . .
Pourquoi Claudette ne peut pas venir ?
Parce que . . . .
Qu'est-ce que Lucien veut acheter ? Il . . . . .

ACTIVITÉ 3

Écris 3 choses que tu veux faire :
Exemple : Je veux aller sur la lune.

ACTIVITÉ 4

Fais des phrases :

vouloir	café	un film
aller	cinéma	à la plage
venir	des places	lettre
avoir	du soleil	mardi

exemple : Marianne va au cinéma mardi avec Daniel.

DÉCOUVRE

le film	*et les verbes* aimer
gentil	acheter
malade	pouvoir
la place	
seule	

21
Tu viens?

L'OLYMPIA

du 12 janvier au 17 janvier

SAPHO

Théâtre de l'Olympia
28, bd. des Capucines
Paris.

a

Bernard	Tu viens? On va prendre un pot. Mireille vient aussi.
Yvonne	Et Claudette?
Bernard	Claudette ne peut pas venir.
Yvonne	Pourquoi?
Bernard	Elle est malade.
Yvonne	Qu'est-ce qu'elle a?
Bernard	Je ne sais pas.
Yvonne	Hmm. Tu veux aller où?
Bernard	A la terrasse du café Anglais.
Yvonne	D'accord, je viens.

b

Yvonne veut bien aller avec Bernard, mais elle veut d'abord téléphoner à Claudette. Elle va chez son amie Nadine. Nadine sait que Claudette est malade.

Yvonne	Je peux téléphoner à Claudette?
Nadine	Bien sûr… Elle est toujours malade?
Yvonne	Oui. Et elle est seule à la maison. Ses parents sont en vacances.
Nadine	Tu peux dire à Claudette que je viens demain.
Yvonne	Merci, Nadine. C'est très gentil.

c

Gilles	Tu viens? On va à l'Olympia. J'ai deux places.
Sylvie	Il y a Sapho, n'est-ce pas? Oui, je veux bien.

d

René	Tu viens? On va au cinéma.
Pascal	On passe quel film?
René	« Les frères Pétard » avec Gérard Lanvin.
Pascal	Oh, j'aime beaucoup Gérard Lanvin. Un instant. Je viens.

e

Lucien	On va aux Galeries Lafayette?
Cécile	D'accord.
Lucien	Je veux acheter une tente.
Cécile	Ah, tu penses déjà aux vacances.
Lucien	Bien sûr!

ACTIVITÉS

OBSERVE

Quelle heure est-il?
Il est une heure.

ACTIVITÉ 1

Écris ton emploi du temps du matin, avec
les heures.
Exemple : 9 h. - 10 h.   Français
             10 h. - 11 h.   . . . .

ACTIVITÉ 2

Fais des phrases avec les éléments suivants :
– rendez-vous / midi / à côté / église
– on se voit / 13 heures / derrière / école
– rendez-vous / maison / parents / Daniel /
  19 heures

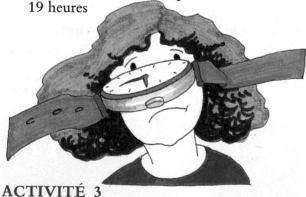

ACTIVITÉ 3

Tu écris sur ton carnet les rendez-vous avec
tes ami(e)s :

jour	heure	lieu	avec qui
mardi	2 heures	au cinéma	avec Daniel

ACTIVITÉ 4

VRAI ou FAUX ?
Yvonne ne sait pas quelle heure il est.
Brigitte sait l'heure.
Colette et Émile ont rendez-vous à cinq
heures.
Colette n'est pas d'accord.

ACTIVITÉ 5

La phrase en désordre :
à - se - quatre - voit - et - on - demie -
l'école - à - heures

Joue.
Lorsqu'il est midi chez toi, sais-tu quelle
heure il est en France ?

DÉCOUVRE

libre   *et le vocabulaire des illustrations.*
midi

Quelle heure est-il?

Il est une heure.

b

Colette	Alors, on se voit à quatre heures et demie.
Émile	Oui, d'accord.
Colette	Où alors?
Émile	Ici.
Colette	D'accord. À tout à l'heure.
Émile	À tout à l'heure.

a

Devant l'école.

Alain	Quelle heure est-il?
Brigitte	Il est une heure.
Alain	Tu es libre quand?
Brigitte	À quatre heures et quart.

c

Mireille	Quelle heure est-il?
Yvonne	Je ne sais pas.
Mireille	Jules, quelle heure est-il?
Jules	Il est trois heures et demie.
Mireille	Merci beaucoup.

Il est midi.

Il est minuit.

Il est neuf heures.   *Il est six heures et quart.*   *Il est dix heures et demie.*

ACTIVITÉS

OBSERVE

Le programme de télévision d'Antenne 2
(A 2).

Jeudi 15 février

A 2

6.30	**Télématin.**
	Avec le journal à 7.00, 7.30, 8.00.
8.30	**Feuilleton : Amoureusement vôtre.**
8.55	**Éric et Noëlla.**
	Émission présentée par Éric Galliano et Noëlla.
11.15	**Série : Top models.**
11.45	**Flash d'informations.**
11.50	**Magazine : Les démons de midi.**
	Présenté par Marc Bessou.
12.30	**Jeu : Les mariés de l'A 2.**
	Présenté par Patrice Laffont.
13.00	**Journal et Météo.**
13.40	**Série : Falcon Crest.**
14.05	**Série : Hôtel de police.**
14.55	**Magazine : Tout, tout, tout... sur A 2.**
15.20	**Série : Les voisins.**
15.45	**Après-midi show.**
	Émission présentée par Thierry Beccaro.
	Le jazz.
17.05	**Jeu : Des chiffres et des lettres.**
	D'Armand Jammot, présenté par Laurent Cabrol.
17.25	**Magazine : Graffitis 5-15.**
	Présenté par Groucho et Chico.
18.30	**Série : Mac Gyver.**
19.25	**Jeu : Dessinez, c'est gagné !**
20.00	**Journal et Météo.**
20.35	**INC.**
20.40	**Magazine : Envoyé spécial.**
	Présenté par Bernard Benyamin.
21.40	**Cinéma : Les diplômés du dernier rang.** □
	Film français de Christian Gion (1982). Avec Michel Galabru, Marie Laforêt, Patrick Bruel.
23.10	**Informations : 24 heures sur la 2.**
	Avec le magazine européen Puissance 12.
23.25	**Météo.**
23.30	**Magazine : Du côté de chez Fred.**
	De Frédéric Mitterrand.

ACTIVITÉ 1

Choisis un programme pour toi
l'après-midi.
Exemple : À 14 heures, je regarde ....

Attention : le matin on dit 6 h 30 et l'après-midi on peut dire 18 h 30.

ACTIVITÉ 2

Réponds aux questions :
– Où sont Cécile et Michel ?
– Qu'est-ce qu'il y a sur la « Une » ?
– À quelle heure commence le match ?

ACTIVITÉ 3

Tu écris à un ami - une amie - et tu lui dis
ce que tu fais pendant les vacances.

Mots utiles : se lever à ...... heures /
déjeuner / aller / amie / cinéma / théâtre /
regarder / télévision / manger / restaurant /
danser / ......

DÉCOUVRE

le dessin	la télé
la discothèque	le tennis
ensemble	tôt
le football	
le foyer des jeunes	*les verbes* commencer
illustré	durer
la leçon	filer
la lettre	inviter
longtemps	se voir
le match	
sportif	*et le vocabulaire des illustrations.*

Quelle heure est-il? (suite)

Les heures et les minutes

a
Devant l'école.

Bertrand	Quelle heure est-il?
Élisabeth	Il est une heure vingt-cinq.
Bertrand	Zut alors! Je file. J'ai maths à une heure et demie. On se voit quand?
Élisabeth	Ici, à deux heures vingt?
Bertrand	D'accord.

b
Devant la maison des Caron, Michel invite Cécile. Il y a un match de football à la télé.

Michel	Quelle heure est-il?
Cécile	Il est sept heures moins le quart.
Michel	Il y a un match de football sur la Une. Tu viens? Tu peux manger chez nous.
Cécile	C'est quel match?
Michel	C'est Bordeaux contre Everton.
Cécile	Ça commence à quelle heure?
Michel	Il commence tôt. A huit heures moins cinq.
Cécile	Hmm, un match… Ça dure trop longtemps.
Michel	Oh, une heure et demie…
Cécile	D'accord, je viens. Mais je rentre tout de suite après la fin du match.

un quart d'heure

une demi - heure

Lettre d'Isabelle

c

St-Raphaël, le 15 juillet

Cher François,

Voici une lettre illustrée par moi-même. Nous sommes au camping du Bois près de Saint-Raphaël. Regarde mes dessins. Tu vois que nous ne sommes pas seuls ici. Derrière nous, il y a la tente des amis d'Eric et à côté, il y a la caravane des parents d'Anne Duparc. Ils sont très jeunes et très sportifs. Le terrain est formidable, très propre. Depuis longtemps, il fait beau, il ne pleut pas et il ne fait pas trop chaud (22 degrés aujourd'hui) Quelquefois, il fait du vent. C'est bien, parce que mon ami Jules a un bateau. C'est un cadeau d'anniversaire, un grand cadeau.

Nous avons une jolie plage de sable. Je peux dire qu'on est vraiment bien ici. Il y a un jeune professeur de tennis. Les leçons commencent à sept heures et demie. Le mardi et le samedi, je prends d'abord une leçon de tennis, puis je rentre pour déjeuner.

Demain, on va à la discothèque du Foyer des Jeunes. Nathalie ne peut pas venir, elle est malade, la pauvre fille, mais elle n'est pas seule : Maurice ne vient pas à la boum ; Nathalie et Maurice, tu sais, ils sont toujours ensemble.

Samedi, on va aux Grandes Galeries. Je veux acheter mes cahiers, mes blocs etc... et je voudrais acheter aussi un nouveau stylo. Dimanche, on mange au restaurant du Pont. C'est un joli restaurant au centre de la ville.

Tu restes encore à Marseille ? Tu ne viens pas ici ? Tu sais, François, je pense souvent à toi. Je reste encore ici jusqu'à la fin du mois. Du 1er au 15 août, je suis à l'hôtel du Marché à Cassis avec mes parents. Ce n'est pas loin de toi. Si tu veux venir, tu peux téléphoner au camping ou à l'hôtel.

A bientôt. Au revoir.

Isabelle

REVUE POUR TOUS

NUMERO SPECIAL PARIS

3

L'HISTOIRE DE PARIS

L'ILE DE LA CITE

ATRAVERS PARIS

UN CHOIX DE MUSEES

LA BALLADE des gens heureux

Restaurant »Nos Ancêtres les Gaulois«

39 rue Saint-Louis-en-l'Ile
75004 PARIS
Tél. 46-33-66-07/46-33-66-12
Télex:
ANCETRE 205967 F

Notre-Dame de Paris, la cathédrale

La Conciergerie, partie de l'ancien palais des rois de France (Palais de Justice maintenant); prison pendant la Révolution Française (1789-1795)

La Sainte-Chapelle, peut-être le plus beau monument de Paris

L'ILE DE LA CITE

RPT ③

À TRAVERS PARIS

Dans la ville, traversée par la Seine, il y a des endroits très élevés – par exemple Montmartre dans le nord (127 m, à droite) et la montagne Sainte-Geneviève dans le sud (65 m, à gauche) – mais aussi des parties très basses, comme les Catacombes et le Forum des Halles.

Le métro: pour voir Paris, prenez le métro. C'est le moyen de transport le plus pratique. En hiver: quatre millions de voyageurs par jour.

Le palais du Luxembourg : siège du Sénat; entouré d'un grand parc, le jardin du Luxembourg.

Saint-Germain-des-Prés : la plus ancienne église de Paris. Depuis des siècles, les artistes se réunissent dans les cafés et aux terrasses du vieux quartier de Saint-Germain-des-prés.

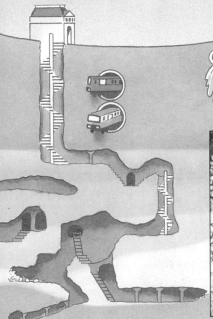

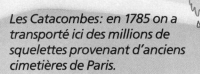

Les Catacombes: en 1785 on a transporté ici des millions de squelettes provenant d'anciens cimetières de Paris.

Le Sacré-Cœur : la plus populaire des églises de Paris offre un panorama magnifique sur la ville.

RPT 3

L'Arc de Triomphe : construit par Napoléon. Sous l'Arc : le Tombeau du Soldat Inconnu. De la place Charles-de-Gaulle, autrefois place de l'Etoile, partent douze grandes avenues. La plus célèbre est l'Avenue des Champs-Elysées.

Le Moulin Rouge : les danseuses de la revue du Moulin Rouge, il faut voir ça!

Le Forum des Halles : centre commercial très moderne; quatre étages souterrains.

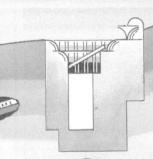

Les égouts : 1.300.000 m³ d'eau sale par jour passent par les égouts.

110 m

100 m

90 m

80 m

70 m

60 m

50 m

40 m

30 m

20 m

10 m

0 m

Le musée du mois

3 RPT

Nous vous proposons la visite du musée d'Orsay. Ouvert en 1987 dans l'ancienne gare d'Orsay. Donc : pas de trains, mais des œuvres d'art; pas de voyageurs, mais des touristes. Qu'est-ce qu'on y voit? Surtout les tableaux des grands impressionnistes : Monet, Cézanne, Renoir et beaucoup d'autres. Mais il y a aussi autre chose à voir! Adresse : 1, rue de Bellechasse. Fermé le lundi. (Attention : en principe les musées de France sont fermés le mardi!)

UN CHOIX DE MUSÉES

Des ciseaux, un peu de colle ... ça y est! Modèles à découper du Centre Pompidou et d'autres monuments. En vente aux kiosques et dans les librairies. Prix: 10F.

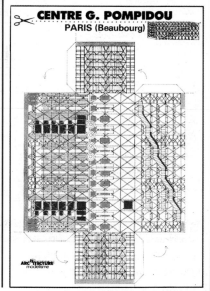

✂ **CENTRE G. POMPIDOU**
PARIS (Beaubourg)

Pour les enfants

La nature à Paris? Allez au bois de Boulogne pour la trouver. Et pourquoi ne pas visiter le jardin d'Acclimatation? C'est un parc d'attractions avec un petit zoo, un théâtre de marionnettes, une piste de karting, des terrains de jeu, des restaurants... et le Musée en herbe, un musée fait pour les enfants. Ouvert en été de 9 h à 19 h.

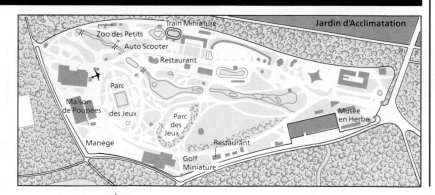

Vous aimez la mode?

Deux musées vous invitent.
Adresses :
Musée des Arts de la Mode,
109, rue de Rivoli (1ᵉʳ)
Musée de la Mode et du Costume,
10, avenue Pierre-1ᵉʳ-de-Serbie
(16ᵉ)

L'histoire vous intéresse?

Passez donc une après-midi au
musée Carnavalet. Vous allez voir
Paris de 1600 à 1900. L'adresse :
23, rue de Sévigné.
C'est dans un très beau quartier
de Paris, le Marais. N'oubliez pas
de faire une promenade dans les
vieilles rues et de regarder les
beaux « hôtels » (= grandes
maisons). Et à l'Hôtel Salé, le
nouveau musée Picasso, allez
voir des œuvres du grand peintre.
Nous ne parlons pas de l'Hôtel
des Invalides (tombeau de
Napoléon) et du Louvre; tout le
monde y va. Vous aussi?

Le Centre Pompidou: l'histoire se répète!

Les architectes et les
réactions des Parisiens :

RPT ③

*1888 :
« Oh, là, là,
c'est pas
possible! »*

*1977 : « C'est vraiment un des plus
beaux monuments de Paris. »*

1977 : « Quel scandale! »

*1988 : « C'est bien, cette
architecture moderne! »*

7

LA BALLADE

des gens heureux

Notre vieille terre est une étoile
Où toi aussi, tu brilles un peu
Je viens te chanter *la ballade*
La ballade des gens heureux (2x)

poésie, chanson
mais attention : *une*
balade est une promenade.

Tu n'as pas de *titre* ni de *grade*
Mais tu dis "tu" quand tu parles à Dieu
Je viens te chanter la ballade
La ballade des gens heureux (2x)

importance et rang dans
une hiérarchie

Journaliste pour ta première page
Tu peux écrire tout ce que tu veux
Je t'offre un titre formidable
La ballade des gens heureux (2x)

Il s'endort et tu le regardes
C'est un enfant qui te ressemble un peu
On vient lui chanter la ballade
La ballade des gens heureux (2x)

Toi, qui as planté un arbre
Dans ton petit jardin de *banlieue*
Je viens te chanter la ballade
La ballade des gens heureux (2x)

agglomérations autour
d'une grande ville

Toi, la *star* du haut de ta *vague*
Descends vers nous, tu nous verras mieux
On vient te chanter la ballade
La ballade des gens heureux (2x)

artiste très connu ; succès

**Gérard
Lenorman**

Roi de la drague et de la rigolade
Rouleur, flambeur ou gentil petit vieux
On vient te chanter la ballade
La ballade des gens heureux (2x)

qui cherche une aventure amoureu
qui trompe ; qui fait l'intéressant

Comme un *chœur* dans une cathédrale
Comme un oiseau qui fait ce qu'il veut
Tu viens de chanter la ballade
La ballade des gens heureux (2x)

groupe de chanteurs

24

Que fait Luc?

LUC PREND UNE DOUCHE DANS LA SALLE DE BAINS.

IL PREND LE PETIT DÉJEUNER.

IL QUITTE LA MAISON POUR ALLER À L'ÉCOLE.

LES LEÇONS COMMENCENT.

LE MATIN, IL A TROIS LEÇONS: D'ABORD FRANÇAIS, ENSUITE MATHS ET ENFIN GÉOGRAPHIE.

EMPLOI DU TEMPS

LUNDI	MARDI	MERCREDI		JEUDI	VENDREDI	SAMEDI
français	mathéma-tiques			anglais	biologie	mathéma-tiques
mathéma-tiques	français			mathéma-tiques	français	français
géographie	biologie			français	anglais	anglais
RÉCRÉATION		JOUR DE CONGÉ		RÉCRÉATION		
anglais	français			informatique	français	CONGÉ
histoire	gymnastique			plein air	informatique	CONGÉ
musique	dessin			CONGÉ	travail manuel	CONGÉ

ACTIVITÉS

OBSERVE

Une journée de Luc, à la maison et à l'école.

ACTIVITÉ 1

Que fait Luc ? **choisis :** •———•

à 8 h 45 •   • il a maths.
à 11 h 15 •   • il commence ses
                           cours.
à 7 h 30 •   • il prend son petit
                           déjeuner.
à 8 h 00 •   • il prend une
                           douche.
à 9 h 00 •   • il quitte la maison.
et à midi ? . . . .
et à 16 h 30 ? . . . .

ACTIVITÉ 2

Et toi, **que fais-tu** (ou : qu'est-ce que tu
fais ?) le matin ?

Grammaire

Que **fait** Luc ? Verbe **faire**

je fais	des maths
tu fais	de l'histoire
il/elle fait	de la géographie
nous faisons	de la biologie
vous faites	de la gymnastique
ils/elles font	du français

Attention/Rappel :

de la + f.   *de l' +* { *a e i o   du + m.*
                            u y   des + p.

ACTIVITÉ 3

3 choses que tu fais à l'école :
1. Je fais . . . .
2. . . . .
3. . . . .

ACTIVITÉ 4

VRAI ou FAUX ?
– Sophie n'est pas avec ses copains.
– Elle est dans la cour.
– Luc est libre à cinq heures.
– Le professeur est content.

Joue.
Regarde la bande dessinée.
1. Qui a un pantalon bleu et un pull-over
rouge ?
2. Qui a une veste jaune et un pull-over
jaune ?
3. Qui a un pull-over bleu et blanc ?

DÉCOUVRE

un après-midi   *les verbes* discuter
la cantine   jouer
le copain
la douche   *et* l'emploi du temps de Luc.
le matin
la mobylette
la musique
normal
le petit déjeuner
la récréation
la salle de bains

ENCORE!

MIDI : LE DÉJEUNER. LUC DÉJEUNE À LA CANTINE.

OÙ EST SOPHIE ?

TA SŒUR EST DANS LA COUR AVEC SES COPAINS.

ILS JOUENT ?

JE NE SAIS PAS. ILS DISCUTENT PEUT-ÊTRE, COMME TOUJOURS ! ON RENTRE ?

UN INSTANT, JE VIENS.

SALUT ! VOUS DISCUTEZ, COMME TOUJOURS ?

OUI, NOUS DISCUTONS. C'EST NORMAL, NON ?

OH... TU RENTRES QUAND ?

JE RENTRE TOUT DE SUITE.

BON ! À TOUT À L'HEURE. LUC VIENT AUSSI.

DANS L'APRÈS-MIDI, LUC A TROIS LEÇONS.

I write on the blackboard

I → je
you → tu
he ¬ il
she ⌡
it (elle)

AIL VRITE ON ZE BLAQUE-BOHARDE...

LES LEÇONS DURENT JUSQU'À QUATRE HEURES ET DEMIE. ALORS LUC EST LIBRE. IL RENTRE TOUT DE SUITE. ELLE EST BIEN, SA MOBYLETTE !

ACTIVITÉS

OBSERVE

*Ils s'*installent   *Nous nous* disputons

ACTIVITÉ 1

Cherche les autres verbes de la leçon avec *2 pronoms.* (Tu as déjà vu le verbe *s'appeler* à la leçon 14.)

> **Grammaire**
>
> Verbe **se laver**
>
> | | |
> |---|---|
> | je me lave | nous nous lavons |
> | tu te laves | vous vous lavez |
> | il/elle se lave | ils/elles se lavent |

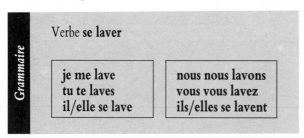

ACTIVITÉ 2

Écris le verbe : se disputer *avec* son frère ou sa sœur !

ACTIVITÉ 3

Écris la réponse :
Vous vous amusez ? Oui, ...
Tu te laves ? Oui, ...
Ils se dépêchent ? Oui, ...

Mais attention :
Je me lave   ≠ *Je ne me lave pas.*
Tu te dépêches   ≠ *Non, je* . . . .
Vous vous disputez ? ≠ *Non,* . . . .

ACTIVITÉ 4

Regarde les images et le texte :
VRAI ou FAUX ?
- Luc et François écoutent des disques.
- Les parents vont au restaurant.
- François fait de la géographie.
- Luc et François travaillent.
- La maman est contente.
- Le chat aime se laver.

ACTIVITÉ 5

Regarde les pendules page 93 :
Que font Luc et François ?
À 19 heures, ...
À 19 heures 45, ...
À 20 heures 30, ...
À 22 heures 15, ...

DÉCOUVRE

le bureau	*et les verbes* se dépêcher
les devoirs	se disputer
le dîner	dormir
le disque	s'installer
le lavabo	se laver
la nuit	nettoyer
le soir	travailler

25

Que fait Luc? (suite)

AVANT LE DÎNER, LUC ET SON FRÈRE FRANÇOIS FONT LEURS DEVOIRS. ILS S'INSTALLENT DEVANT LEUR BUREAU. ILS TRAVAILLENT JUSQU'À SEPT HEURES ET DEMIE. ILS SE DÉPÊCHENT POUR ÊTRE PRÊTS AVANT LE DÎNER... ET QUELQUEFOIS, ILS SE DISPUTENT. COMME AUJOURD'HUI...

VOUS VOUS DISPUTEZ, COMME TOUJOURS?

MAIS NON, MAMAN, NOUS NE NOUS DISPUTONS PAS. NOUS TRAVAILLONS!

LE SOIR, À HUIT HEURES MOINS LE QUART, C'EST LE DÎNER EN FAMILLE. APRÈS, LES PARENTS VONT AU CINÉMA.

ÇA DURE JUSQU'À QUAND, LE CINÉMA?

NOUS RENTRONS VERS ONZE HEURES.

BEURK!

FÉLIX

APRÈS LE DÎNER, LES DEUX FRÈRES ÉCOUTENT SOUVENT LEURS DISQUES. AUJOURD'HUI, IL Y A SAPHO À LA TÉLÉ, C'EST BIEN, ÇA. ET LEURS PARENTS NE SONT PAS LÀ...

À DIX HEURES OU DIX HEURES ET QUART, LUC ET SON FRÈRE SONT DANS LA SALLE DE BAINS. ILS SE LAVENT. ET COMME TOUJOURS, ILS SE DISPUTENT DEVANT LE LAVABO.

TU NE PEUX PAS NETTOYER TON LAVABO?!

ET APRÈS, LUC EST DANS SA CHAMBRE. IL DORT BIEN.

ACTIVITÉS

OBSERVE

Qu'est-ce qu'on fait ?
On va au Foyer des Jeunes.

ACTIVITÉ 1

Réponds aux questions :

1) On va à la plage ?
Non, on . . . . l'hôtel.
2) On va à l'Opéra ?
Non, on . . . . musée.
3) On va au stade ?
Non, nous . . . . boum de Sophie.

Grammaire

Michel parle à ses amis :	Ils répondent :
On va à l'Olympia ?	Non, **nous allons** à la maison
On va au cinéma ?	Oui, **nous allons** au cinéma
On va à la plage ?	Non, **on va** à la maison

on = nous

ACTIVITÉ 2

Complète :

« Qu'est-ce que vous voulez faire ? »
« Nous voulons écouter de la musique. »
« Et toi, Daniel, qu'est-ce que tu veux
faire ? » « . . . . »
« Qu'est-ce qu'elles veulent faire ? » « . . . . »

Grammaire

Nous voulons
Vous voulez
Ils/elles veulent

Tu connais déjà le
singulier (leçon 21).

ACTIVITÉ 3

Complète :
Moi, je veux aller à la mer.
Toi, tu veux . . . .
Elles, elles veulent . . . .
Attention ! Lui, il veut . . . .

Jeu.
Qui est-ce ? Devine.
1. Elle veut enregistrer des émissions
de radio.
2. Ils veulent écouter un bon disque.
3. Ils veulent faire leurs devoirs
tout de suite.

DÉCOUVRE

la cassette
la copine
le cours
dernier   *et les verbes* arriver
l'émission   emprunter
le magnétophone   enregistrer
le transistor   faire
le tube   trouver

26

Qu'est-ce qu'on fait?

a

Devant l'école, après les cours.

Michel	Qu'est-ce qu'on fait? On va au Foyer des Jeunes?
Gaston	Non. Moi, je rentre. Je fais mes devoirs tout de suite aujourd'hui.
Michel	Tu fais tes devoirs tout de suite? Mais pourquoi? Tu es malade?
Gaston	Non, je n'ai pas le temps. Didier rentre aussi.

Didier arrive.

Michel	Salut, Didier. Tu ne viens pas au Foyer des Jeunes?
Didier	Non, je rentre, j'ai mes devoirs à faire.
Michel	Zut! Pourquoi ne faites-vous pas vos devoirs après le dîner? On est quand même bien au Foyer des Jeunes.
Didier	Oui, mais à huit heures et demie, il y a Sapho à la télé. On veut regarder ça. C'est pourquoi nous faisons nos devoirs maintenant.

b

Dans la chambre de Gaston. Suzanne et Monique sont deux copines de Gaston et de Didier. Suzanne a un nouveau magnétophone.

Monique	J'ai une cassette de Julien Clerc. Tu veux écouter ça?
Didier	Moi, je veux bien.
Suzanne	Dis, Gaston, je peux emprunter ton transistor?
Gaston	Bien sûr! Pourquoi!
Suzanne	J'ai un nouveau magnétophone. Je voudrais enregistrer quelques émissions de radio.
Gaston	D'accord. Ça va.

c

Gaston et Didier veulent faire écouter un disque aux copines.

Gaston	Vous voulez écouter un bon disque?
Suzanne	Nous voulons bien.
Gaston	J'ai le dernier tube de Marlène Jobert.
Monique	Moi, je trouve ça formidable.

27

L'école

a

1 *Les élèves entrent.*

2 *Gaston* Tu choisis les maths?
 Anne Non, je choisis la biologie.

3 *Le professeur entre. Nous nous levons.*

4 *Dans le bureau de Monsieur le Directeur.*

5 *A midi, les élèves se réunissent dans la cantine.*

b

1 *Nous choisissons.*

2 *Ils préparent notre déjeuner.*

3 *Quelques élèves
travaillent dans la
bibliothèque.*

4 *Après le déjeuner, nous discutons dans la cour.
La récréation finit à une heure et demie.*

5 *Dans le couloir. La
porte de la classe est
encore ouverte. Les
élèves se dépêchent.*

6 *Gaston*   Vous finissez à quelle heure?
 Michel   Nous finissons à quatre heures et
demie. Nous rentrons tout de suite
à la maison.

ACTIVITÉS

OBSERVE

Je choisis
→ Chois*ir*

Les élèves
se réunissent
→ Se réun*ir*

ACTIVITÉ 1

Conjugue le verbe choisir.

ACTIVITÉ 2

Complète et change les mots *en italique* à chaque fois.

Exemple : Je finis mon cours de *français* à *10 heures.*
Nous . . . . cours d'. . . . .
Ils . . . . cours d' . . . .
Vous . . . . cours de . . . .

ACTIVITÉ 3

Classe les verbes de la leçon.

-er	-ir
. . . .	

ACTIVITÉ 4

Nathalie écrit à une amie.
La pluie a effacé quelques mots, regarde le texte (c) et **retrouve-les.**

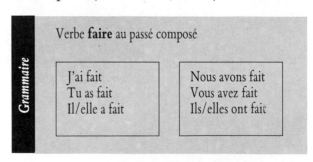

17/07/89	
Chère Claudine	
Je suis en vacances	
avec . Nous sommes	Claudine
en . . . .,	**BONNEROT**
. . . . bien	30, Rue de
contentes. . camping	Grenelle
. . . . Tu viens	75007 PARIS
. . . . À bientôt.	

ACTIVITÉ 5

Écris les verbes soulignés du texte au passé composé. (Revois la leçon 16.)

DÉCOUVRE

l'artiste	ouverte	continuer
la bibliothèque	la porte	finir
le bureau	sympa	se lever
le ciel	le voyage	manquer
important		préparer
la mer	*et les verbes* s'amuser	raconter
la météo	choisir	se réunir

Vacances en Bretagne

c

Marie-Louise et Nathalie, deux copines, sont élèves de la même école. Elles passent leurs vacances ensemble. Après un long voyage en train, elles sont en Bretagne. Elles continuent le voyage à vélo. Elles ont une petite tente très confortable. C'est pour le camping. Mais aujourd'hui, elles vont passer la nuit dans une auberge de jeunesse au bord de la mer. Pour Marie-Louise, c'est la première fois qu'elle va en Bretagne.

Elles sont très contentes. Le voyage commence bien. L'auberge est sympa, la plage est formidable, il fait beau, tout va bien. Quelquefois, comme aujourd'hui, elles mangent dans un petit restaurant.

Devant l'auberge, Marie-Louise et Nathalie regardent le ciel magnifique. Il est encore tôt : sept heures moins le quart. Elles écoutent le transistor de Marie-Louise. Quelques minutes avant sept heures, c'est la météo : il va encore faire beau et chaud en Bretagne. Le beau temps, c'est important pour un voyage à vélo. A sept heures, ce sont les informations.

Puis, elles continuent leur conversation. Les sujets ne manquent pas : le voyage, l'auberge de jeunesse, les garçons. Nathalie raconte l'histoire du voyage en Amérique de son frère André.

Elles parlent aussi de l'école. Marie-Louise n'aime pas le professeur de biologie. Elle dit qu'elle ne veut pas choisir la biologie. Elle aime la musique. Le prof de musique est un très bon pianiste. C'est un grand artiste.

Nathalie ne s'intéresse pas tellement à la musique. Elle aime surtout la gymnastique et la biologie. Ce sont deux jeunes filles très différentes, mais elles s'amusent bien ensemble.

ACTIVITÉS

OBSERVE

à pied	*en* voiture	*en* autobus
à bicyclette	*en* métro	*en* train

ACTIVITÉ 1

Comment vont-ils à l'école :
Didier, Valérie, Suzanne, Pascale , Jean ?
Et toi, comment vas-tu à l'école ?
Demande aussi à tes camarades.

ACTIVITÉ 2

Je vais à l'école à pied.
Tu .... cinéma ....

Continue avec les mots suivants : le stade,
la plage, le collège, l'hôtel.

OBSERVE

« *Est-ce que* tu aimes les maths ? »
mais aussi : « Tu aimes les maths ? »
– Oui, j'aime ça.
– Non, je déteste ça.
– Je n'aime pas tellement ça.

ACTIVITÉ 3

Ils aiment (+) ou ils n'aiment pas (–) ?

	Monique	Luc
Histoire		
Géographie		
Maths		
Gymnastique		

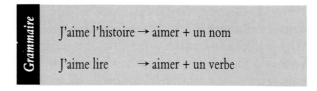

Grammaire

J'aime l'histoire → aimer + un nom

J'aime lire → aimer + un verbe

ACTIVITÉ 4

Écris 3 choses que tu aimes et 3 choses que
tu détestes.

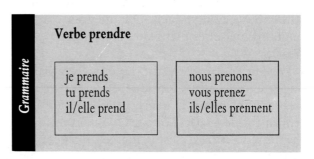

Grammaire

Verbe prendre

je prends	nous prenons
tu prends	vous prenez
il/elle prend	ils/elles prennent

DÉCOUVRE

l'autobus
la bicyclette
l'informatique
le sport
le travail manuel

le verbe détester

et l'emploi du temps de Luc.

28
Aller à l'école

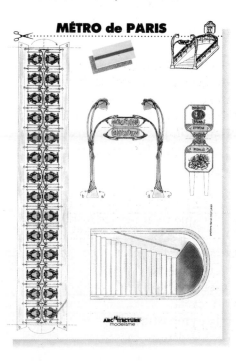

a

Didier habite à dix minutes de l'école. Il va toujours à pied à l'école.

Valérie habite aussi tout près, mais elle va à l'école à bicyclette. Son amie Suzanne aussi.

Pascale habite à douze kilomètres de l'école. Elle peut prendre le train, mais elle va presque toujours en voiture avec sa mère.

Jean ne veut pas aller en train. Il prend toujours l'autobus.

Henri et Paul prennent le métro.

Brigitte et Elisabeth vont en métro aussi.

b

Jean	Est-ce que tu vas à l'école en autobus?
Didier	Non, je vais à pied. Et toi, tu prends le métro?
Jean	Non, je prends l'autobus.

c

Le professeur	Henri et Paul, pour aller à l'école, vous prenez l'autobus?
Paul	Non, Monsieur. Nous prenons le métro.
Le professeur	Et vous, Anne et Didier, vous allez à bicyclette?
Anne	Non, Monsieur. Nous allons à pied
Le professeur	Vous habitez tout près alors?
Didier	Oui, à dix minutes.

Est-ce que tu as maths ?

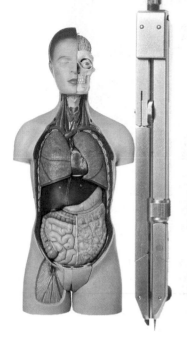

EMPLOI DU TEMPS

	LUNDI		MARDI		MERCREDI
8		8		8	
30		30		30	
9	français	9	mathéma-tiques	9	
30		30		30	
10	mathéma-tiques	10	français	10	
30		30		30	
11	géographie	11	biologie	11	
30		30		30	JOUR DE CONGÉ
12		12		12	
13	RÉCRÉATION	13		13	
30	anglais	30	français	30	
14		14		14	
30	histoire	30	gymnastique	30	
15		15		15	
30	musique	30	dessin	30	
16		16		16	
30		30		30	
17		17		17	
30		30		30	
18		18		18	

	JEUDI		VENDREDI		SAMEDI
8		8		8	
30		30		30	
9	anglais	9	biologie	9	mathéma-tiques
30		30		30	
10	mathéma-tiques	10	français	10	français
30		30		30	
11	français	11	anglais	11	anglais
30		30		30	
12		12		12	
13	RÉCRÉATION	13		13	
30	informatique	30	français	30	CONGÉ
14		14		14	
30	plein air	30	informatique	30	CONGÉ
15		15		15	
30	CONGÉ	30	travail manuel	30	CONGÉ
16		16		16	
30		30		30	
17		17		17	
30		30		30	
18		18		18	

d

Jeudi, devant l'école.

Monique	Est-ce que tu as maths aujourd'hui ?
Luc	Oui, j'ai maths, anglais, français, informatique et sport.
	Et toi ? Est-ce que tu as maths aussi ?
Monique	Non, moi, j'ai biologie, géographie, gymnastique, histoire et travail manuel.

e

Monique	Est-ce que tu aimes les maths ?
Luc	Oui, j'aime ça. C'est sympa.
Monique	Et la géographie ?
Luc	Pas tellement.
Monique	Tu aimes l'histoire ?
Luc	Oui, ça va.
Monique	Et la gymnastique ?
Luc	Non, je déteste ça.

f

André	Est-ce que Luc aime les maths ?
Monique	Oui, il aime ça.
André	Est-ce qu'il aime aussi la géographie ?
Monique	Non, pas tellement.
André	Et toi, est-ce que tu aimes la géographie ?
Monique	Oui, ça va.

29

Tiens, tu as une nouvelle jupe!

a

Louise vient voir sa copine Alice. Alice ouvre la porte de sa chambre.

Louise   Tiens, tu as une nouvelle jupe!
Alice   Oui. Elle te plaît?
Louise   Elle est très belle.
Alice   Merci.

b

Alice ne connaît pas le pull de Louise.

Alice   Tiens, tu as un nouveau pull!
Louise   Non, il est déjà vieux. Il te plaît?
Alice   Il est très beau.
Louise   Merci.

c

Louise reste une semaine chez Alice. Un jour, les deux filles vont travailler dans le jardin. Elles vont aider le père d'Alice.

Alice   Qu'est-ce que tu mets pour le travail?
Louise   Moi, je mets mon vieux jean bleu et mon pull jaune. Et toi?
Alice   Moi, je mets ma vieille robe rouge et mes vieilles chaussures noires.

ACTIVITÉS

Les adjectifs difficiles

masculin	féminin
nouveau	nouvelle
beau	belle
vieux	vieille
blanc	blanche

un **nouveau** pantalon, une **nouvelle** jupe
un **beau** livre, une . . . .
un **vieux** . . . . , une . . . .

joli - jolie / cher - chère
Revois aussi la leçon 13.

Attention *à la place des adjectifs de couleur!*
Exemple : une jupe rouge.

ACTIVITÉ 1

Relève les adjectifs de couleur.

ACTIVITÉ 2

Tu vas dans un magasin, qu'est-ce que tu choisis?
Pour toi → Pour moi, je . . . .
Pour un ami → Pour lui . . . .
Pour une amie →. . . . .

Verbe **mettre,** au présent

je mets	nous mettons
tu mets	vous mettez
il/elle met	ils/elles mettent

ACTIVITÉ 3

Conjugue le verbe :
mettre son pull rouge.
Je mets *mon* pull rouge, etc.

ACTIVITÉ 4

Et toi, quels vêtements mets-tu pour aller à l'école?

Alice **achète** une veste - Verbe **acheter**

j'achète	nous achetons
tu achètes	vous achetez
il/elle achète	ils/elles achètent

attention **e** aux 1re et 2e pers. pl.

ACTIVITÉ 5

VRAI ou FAUX?
Louise a un nouveau pull.
Alice a une nouvelle jupe.
La jupe marron n'est pas chère.
La veste existe en noir.

DÉCOUVRE

la boutique	*les verbes* aider	plaire
le jardin		essayer	ouvrir
la jupe		exister	venir voir
la qualité		mettre	
la robe			
la vendeuse	*les couleurs :* blanc, bleu, gris, jaune,	
la veste	marron, noir, orange, rouge,	
les vêtements	*et le vocabulaire des illustrations.*	

d

Le lendemain, Louise et Alice sont dans une
jolie boutique. Alice connaît Sylvie, la
vendeuse. Elles achètent quelques vêtements.

Alice	Tu es contente de ta jupe marron?
Louise	Oui. Elle fait très sport, n'est-ce pas?
Alice	Oui, et c'est de la bonne qualité.
Louise	C'est vrai. Elle n'est pas chère, tu sais.
Alice	Regarde le beau pull. Il n'est pas cher.
Louise	Non... Mais on ne peut pas tout acheter.

e

Alice achète une veste.

Sylvie	Elle est belle, la veste blanche, n'est-ce pas?
Alice	Oui, elle est belle. Quelles autres couleurs avez-vous?
Sylvie	Elle existe en blanc, bleu, jaune, orange, rouge, gris, marron et noir.
Alice	Je voudrais essayer la jaune.

PULL 232 F

CHEMISE 89 F

MANTEAU 464 F

PANTALON 253 F

CHAUSSURES 276 F

ACTIVITÉS

OBSERVE

L'épicier - l'épicière
(rappelle-toi la leçon 10 : l'épicerie).

Grammaire

le beurre   **la** bière   **l'**eau

chez l'épicier, il y a **du** beurre
                       de la bière
                       de l'eau
il y a certainement aussi **des** fruits

ACTIVITÉ 1

Madame Ménard dit :
« Je voudrais un litre *de* lait,
deux bouteilles *de* bière... »
Continue.

ACTIVITÉ 2

Qu'est-ce que tu aimes ? **Choisis** 4 choses :
Exemple : J'aime *le* fromage, je mange *du*
fromage.

ACTIVITÉ 3

Réponds aux questions par une phrase
complète :
– Qu'est-ce que Michel et Monique
achètent ?
– Comment sont les fraises ?
– Et les poires ?

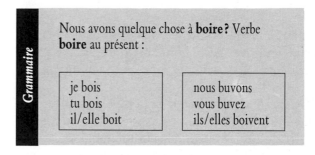

Grammaire

Nous avons quelque chose à **boire ?** Verbe
boire au présent :

je bois	nous buvons
tu bois	vous buvez
il/elle boit	ils/elles boivent

ACTIVITÉ 4

Michel et Monique boivent . . . .
et . . . . Ils mangent . . . .

ACTIVITÉ 5

Choisis •——•

un paquet •   • de fromage
une bouteille •   • de café
un litre •   • de fraises
un kilo •   • de vin
un morceau •   • d'eau minérale

DÉCOUVRE

la camionnette	la viande
l'épicier	le village
l'épicière	le vin
la fraise	
le franc	*les verbes* boire
le fromage	désirer
le gramme	passer
le litre	les articles en promotion
le marchand	
la poire	*et le vocabulaire enregistré*
le poisson	
le prix	

30

L'épicier passe

a

Dans beaucoup de villages, l'épicier passe avec sa camionnette.

L'épicière	Bonjour, Madame.
Mme Menard	Bonjour, Madame.
L'épicière	Vous désirez?
Mme Menard	Je voudrais un litre de lait, deux bouteilles de bière et un kilo de sucre.
L'épicière	Voilà, Madame.
Mme Menard	Euh... une baguette, un grand pain, une livre de beurre et un paquet de café. Un paquet de 250 grammes.
L'épicière	Voilà, Madame. Et avec ça?
Mme Menard	Un peu de fromage. Un morceau de roquefort et un camembert. Et quatre tranches de jambon.
L'épicière	C'est tout?
Mme Menard	Oui, Madame. Ça fait combien?
L'épicière	Ça fait 61,25 F.

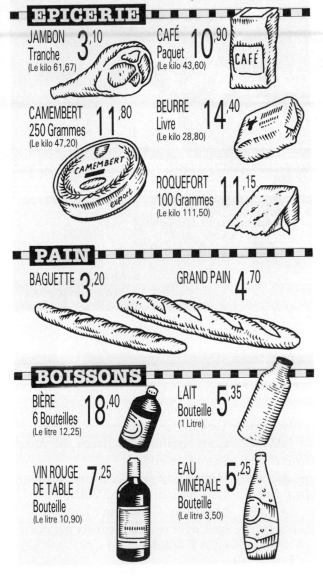

L'argus de la distribution
PROMOTIONS
Du 21 juillet au 1er août

EPICERIE

JAMBON Tranche 3,10 (Le kilo 61,67)

CAFÉ Paquet 10,90 (Le kilo 43,60)

CAMEMBERT 250 Grammes 11,80 (Le kilo 47,20)

BEURRE Livre 14,40 (Le kilo 28,80)

ROQUEFORT 100 Grammes 11,15 (Le kilo 111,50)

PAIN

BAGUETTE 3,20   GRAND PAIN 4,70

BOISSONS

BIÈRE 6 Bouteilles 18,40 (Le litre 12,25)

LAIT Bouteille 5,35 (1 Litre)

VIN ROUGE DE TABLE Bouteille 7,25 (Le litre 10,90)

EAU MINÉRALE Bouteille 5,25 (Le litre 3,50)

C'est bon, la viande...

... et le poisson aussi !

b

Au marché.

Michel	Elles sont belles, les fraises. C'est cher, tu crois ? Je ne vois pas le prix.
Monique	Tu peux demander.
Michel	C'est combien, les fraises, Madame ?
Mme Burel	29,00 F le kilo.
Michel	Hmm. Une livre, s'il vous plaît.
Mme Burel	Une livre de fraises. Voilà, Monsieur. C'est tout ? Les poires sont délicieuses. Ce n'est pas cher, 13,00 F le kilo.
Michel	Bon. Un kilo de poires, s'il vous plaît.
Mme Burel	Très bien, Monsieur.
Michel	Dis, Monique, nous avons quelque chose à boire ?
Monique	Oui, j'ai quelques bouteilles d'eau minérale et puis... un très bon vin.
Michel	Bonne idée !

REVUE POUR TOUS

RPT ④

NUMERO SPECIAL CHANSONS

Babacar
FRANCE GALL

4

premier baiser **EMMANUELLE**

LE HERISSON
GEORGES BRASSENS

1,2,3 **CATHERINE FERRY**

Ça va pas changer le monde
JOE DASSIN

Peux pas le dire
MARLÈNE JOBERT

Mon ange **JULIEN CLERC**

MA PLUS JOLIE CHANSON **ANNIE CORDY**

On est fait pour vivre ensemble
LINDA DE SUZA

LES PETITS MOTS **DALIDA**

Adieu, Monsieur le professeur
HUGUES AUFRAY

1

Babacar

1986 : France Gall voit au Séné-
gal une femme africaine. Elle
est très pauvre.
– Il est beau, ton bébé.
– C'est vrai ? Si tu veux, je te le
donne, prends-le et emmène-
le avec toi.
– Comment s'appelle-t-il ?
– Babacar.

J'ai ton cœur qui tape, qui cogne
Dans mon corps et dans ma tête
J'ai des images qui s'entêtent
J'ai des ondes de *chaleur*   *affection, amour*
Et comme des cris de douleur
Qui circulent dans *mes veines*   *mon sang*
Quand je marche dans ma ville
J'ai *des moments qui défilent*   *des souvenirs*
De ton pays *d'ailleurs*   *loin d'ici*
Où tu meurs

Babacar, où es-tu, où es-tu ?
Babacar, où es-tu, où es-tu ?
Je vis avec ton regard
Depuis le jour de mon départ
Tu grandis dans ma mémoire
Babacar, où es-tu, où es-tu ?
Babacar, où es-tu, où es-tu ?

J'ai des mots qui frappent, qui sonnent
Et qui font mal *comme personne*   *personne n'a aussi*
C'est comme la vie qui s'arrête   *mal que moi*
J'ai des mouvements de colère
Sur *le troisième millénaire*   *les années 2000*
Tout casser et tout refaire
J'ai pas manqué de courage
Mais c'était bien trop facile
Te laisser en héritage
Un exil   *un lieu loin de chez toi*

Babacar, où es-tu, où es-tu ?
Babacar, où es-tu, où es-tu ?
Ta princesse de hasard
Est passée comme une étoile
En emportant ton espoir
Babacar, où es-tu, où es-tu ?
Babacar, où es-tu, où es-tu ?

(etc, etc.)

FRANCE GALL

premier baiser

Premier baiser
Echangé
Sur une plage en été
Premier amour
Un beau jour
Qui vient vous emporter
Ça ne s'oublie pas
Quand c'est la première fois

Premier émoi   *première émotion*
Toi et moi
Cachés dans les rochers
Premier soupir
De plaisir
Quand tu m'as embrassée
Ça ne s'oublie pas
Quand c'est la première fois

Une fille et un garçon
Le début d'une *passion*   *un grand amour*
Pour le temps d'un seul été
Pour peut-être *à jamais*   *pour toujours*
Qui le sait?

Premier baiser (etc, etc.)

Premier chagrin
Un matin
À l'heure des "au revoir"
Premiers serments   *promesse : je t'aime*
En tremblant   *pour toujours*
Sur le quai d'une gare
Ça ne s'oublie pas
Quand c'est la première fois   (2x)

EMMANUELLE

LE HERISSON

Oh, qu'est-ce qu'il pique, ce hérisson!
Oh, qu'elle est triste, sa chanson!   (2x)

C'est un hérisson qui piquait, qui piquait
Et qui voulait qu'on le caresse, -resse, -resse
On n'le caressait pas pas pas pas pas
Non pas parce qu'il n'piquait pas, mais parce qu'il piquait

Oh, qu'est-ce qu'il pique, ce hérisson!
Oh, qu'elle est triste, sa chanson!

Quelle est la fée dans ce livre
Qui me donnera l'envie de vivre?
Quelle est la petite fille aux yeux bleus?
Qui va me rendre heureux?
Quelle est la fée dans ce livre
Qui lui donnera l'envie de vivre?
Quelle est la petite fille aux yeux bleus
Qui le rendra heureux?

Moi, je ne vois que moi
Il n'y a que moi dans ce livre-là   (2x)

(Emilie est allée caresser le hérisson)

Elle n'est plus triste, cette chanson
J'ai caressé le hérisson
Il n'est plus triste, le hérisson
Elle a caressé la chanson

Mais non, le hérisson
Mais non, le hérisson...

1,2,3

Un, deux, trois
Ma politique à moi
C'est d'être aimée de toi et chanter
La la la la la la
Un, deux, trois
La vie n'est pas pour moi
Un livre de *Kafka*   *écrivain tchèque (1883-1924)*
Un, deux,trois   *ses œuvres expriment les angoisses*
                             du monde moderne

Refrain :

Jouez, jouez, musiciens
Enchante-moi, magicien   *faire très plaisir, par magie*
Tourne, tourne, dans ma tête à moi
Fais briller les yeux des enfants rois
Fais-moi rêver, comédien
Chante, danse, *baladin*   *comédien de rues*
Dans la ronde folle entraînez-moi
Donnez-moi l'amour et la joie

Un, deux, trois
Qu'il pleuve sur les toits
Qu'il neige sur les mois il fait si bon
Dans tes bras la la la la
Un, deux, trois
Je n'entends que ta voix
Je ne vis que pour toi
Je t'aime

Refrain

Fais-moi rêver, comédien
Chante, danse, baladin
Dans la ronde folle entraînez-moi
Sol mi sol sol fa mi
Sol mi sol sol fa mi   *notes de musique*
Donnez-moi l'amour et la joie

Ça va pas changer le monde

JOE DASSIN

C'est drôle, tu es partie
Et pourtant tu es encore ici
Puisque tout me parle de toi
Un parfum de femme, l'écho de ta voix
Ton adieu, je n'y crois pas du tout
C'est un au revoir, presqu'un rendez-vous

Ça va pas changer le monde
Il a trop tourné sans nous
Il pleuvra toujours sur Londres
Ça va rien changer du tout
Qu'est-ce que ça peut bien lui faire,
Une porte qui s'est refermée ?
On s'est aimé
N'en parlons plus
Et la vie continue

Ça va pas changer le monde
Que tu changes de maison
Il va continuer, le monde
Et il aura bien raison
Les poussières d'une étoile
C'est ça qui fait briller la voie lactée
On s'est aimé
N'en parlons plus
Et la vie continue

Ça va pas changer le monde,
Ça va pas le déranger
Il est comme avant, le monde
C'est toi seule qui as changé
Moi, je suis resté le même,
Celui qui croyait que tu l'aimais
Ce n'est pas vrai
N'en parlons plus
Et la vie continue

Peux pas le dire

MARLÈNE JOBERT

RPT ④

A pein' si je m'retiens dans la rue de chanter
A pein' si je m'retiens j'ai envie de crier
Et si je n'me retenais pas
"Mais qu'est-c'qu'elle a mais qu'est-c'qu'elle a?"
Je suis tell'ment bou-bou-bou-*boul'versée*   *émue, mon cœur bat très fort*
Qu'il m'arrive d'en bé-bé-*bégayer*   *parler avec difficulté*
Et s'il n'y avait que cela
"Mais qu'est-c'qu'elle a mais qu'est-c'qu'elle a?"

Refrain :
Peux pas le dire
Non, peux pas, peux pas, peux pas
Peux pas le dire
Non, peux pas, peux pas, peux pas
Peux pas le dire
Hmm, ne peux pas

Je m'sens capable, c'est sûr, des pires folies
Capable de tout, tout, surtout d'*interdits*   *ce qui est défendu*
Capable de quoi, je n'vous dis pas
"Mais qu'est-c'qu'elle a mais qu'est-c'qu'elle a?"
Chaque respiration est une bouffée d'*ivresse*   *très grande joie*
Son sourire suffit pour que le soleil paraisse
Et quel soleil! Je vous dis pas
"Mais qu'est-c'qu'elle a mais qu'est-c'qu'elle a?"

Refrain

Je n'peux pas vous dire ce qui m'arrive là
C'est tellement fort et doux et, tout à la fois,
Les mots ne me suffiraient pas
"Mais qui te fait cet effet-là?"
Son souffle à mon oreille éveille tous mes désirs
Ses mains trouvent le chemin qui mène à mes délires
Oh la la la la la la
"Mais qui te fait cet effet-là?"

S'il y a des mots
Pour vous expliquer tout ça
Eh bien ces mots
Moi ne me suffisent pas
Pourquoi des mots?
Y'en a pas

Refrain

5

Mon ange

JULIEN CLERC

Tu rêvais d'un amour
Tout en *soie* et *velours*   *tissus très doux*
Que dire maintenant ?
Je n'étais qu'un chasseur
Capturant les cœurs
Volage, Don Juan   *qui change souvent*
Tu as posé tes yeux bleu ciel
Sur moi et j'ai vu les ailes
D'un ange de lumière
A la sortie d'un tunnel

Bel ange, mon ange
Mélange, se venge
Se change en démon
Mon ange me mord
Me mange, j'suis mort
J'suis *marron*   *être attrapé, dupé, trompé*

Toi, la petite fille sage
Qui a peur de l'orage
Que faire maintenant ?
Jouer à la poupée
Doucement te bercer
T'aimer tout le temps
Malgré tout l'or et tout le *miel*   *matière très douce,*
De ton cœur si fidèle   *fabriquée par les abeilles*
J'suis pas l'ange dont tu rêves
Ça non, j'descends pas du ciel

J'dérange, mon ange
Je change, quand l'ange
Se change en prison
J'décolle, j'm'envole
Je *flâne,* je plane   *se promener sans but*
J'fais des bonds

Mon ange se fâche
Mon ange se cache
Me *lâche* pour de bon   *abandonner*
Mon ange que j'aime
J't'ai fait d'la peine
Oublions

Moi, pour faire sécher tes larmes
Vois, j'ai *déposé les armes*   *pour faire la paix*
Tu sais bien c'est toujours toi qui gagnes
Plus de chagrin, plus de drames

(etc, etc.)

MA PLUS JOLIE CHANSON

Toi, Maman
Chaque soir jusqu'à sept ou huit ans
J'te voyais
Près de mon lit en m'endormant
Le matin
J'savais avant d'ouvrir les yeux
Qu'tu étais
À la même place et qu'tu rêvais
À nous deux

Refrain :

Toi, tu es ma plus jolie chanson
Tu es Maman, la grande amie
Qui veille sur ma vie   qui fais attention à moi
                               qui me protège
Tant que les étoiles brilleront
Tu seras ma plus jolie chanson

Ma Maman
Quand j'ai de la peine, c'est à toi
Que j'le dis
Tu me consoles chaque fois   tu dis des mots gentils
Je te quitte   quand je suis triste
En te laissant tous *mes tourments*   mes peines,
J'oublie vite   mes tristesses
Quand tout va bien j't'oublie souvent
Et pourtant

Refrain

Je voudrais te dire
"Maman, je t'aime"
Mais voilà, c'est pas facile
Ça paraît *bête*   idiot, stupide
Je n'ose pas
Je voudrais te dire
Mais à ton sourire
Je sais que tu as compris
Et mon cœur te dit :
"Maman, merci"

Refrain

ANNIE CORDY

On est fait pour vivre ensemble

LINDA DE SUZA

RPT ④

D'Angleterre et de l'Irlande
De Jérusalem au Nil
On est fait pour vivre ensemble
Sur la terre, pas *en exil*   loin de chez soi
Y'a un Dieu pour tous les hommes
Et tous les hommes croient en Dieu

On est fait pour vivre ensemble
Les *mendiants* et les *orgueilleux*   (2x)   les pauvres qui demandent
Je chante à qui veut m'entendre   de l'argent dans la rue ;
On est fait pour vivre heureux   les gens très fiers

Le paysan aime sa terre
Le boulanger fait son pain
Le maçon soulève les pierres   celui qui construit la maison
L'architecte fait son dessin   celui qui dessine les plans
Chacun de nous aide l'autre   de la maison
Chacun fait de son mieux

On est fait pour vivre ensemble
Les mendiants et les orgueilleux   (2x)
On n'a plus rien à défendre
On est fait pour vivre heureux

Toi, tu aimes le bruit des villes
Moi, j'aime le vent des montagnes
Tu es un homme impossible
Moi une impossible femme
Notre amour a fait le reste
Et le reste est merveilleux

On est fait pour vivre ensemble
Les *solitaires,* les amoureux   (2x)   seuls, isolés
Puisque nos cœurs se rassemblent
On est fait pour vivre à deux

(etc., etc.)

DALIDA

4 RPT

LES PETITS MOTS

Refrain :
Tous les mots que l'on *se lance*   *se dit*
Les petits mots de tous les jours
On les croit sans importance
Mais ce sont des mots d'amour

Les "bye bye", *"arrivederci",*   *« au revoir » en italien*
Les "bonsoir" *et cetera*   *etc.*
Les "salut", les "comment ça va?"
Sont déjà des mots d'amour
Les *"farewell"* on se reverra   *« adieu » en anglais*
Les "merci" qu'on dit comme ça
A des gens qu'on croise
Et qu'on ne connaît pas

Refrain

L'épicier devant sa porte
Qui te dit son petit "bonjour"
Ne sait pas en quelque sorte
Qu'il te dit des mots d'amour
On n'est pas toujours bien d'accord
Sur la vie, mais ça ne fait rien
On se fâche un peu
Dans *le bistrot du coin*   *le café le plus près*

Refrain

On se dit "je te déteste"
Puis on appelle "au secours"
Mais ces mots que l'on regrette
Sont toujours des mots d'amour
Quoi qu'on fasse et quoi qu'on dise   *malgré tout ce qu'on*
On s'adore, on se trahit   *peut faire et dire*
Mais ce sont ces petits mots
Qui font la vie

(etc, etc.)

Adieu, Monsieur le professeur

Les enfants font une *farandole*   *danse en rond*
Et le vieux maître est tout ému
Demain il va quitter sa chère école
Sur cette *estrade* il ne montera plus   *plancher surélevé*
          où est le bureau du professeur

Refrain :
Adieu, Monsieur le professeur
On ne vous oubliera jamais
Et tout au fond de notre cœur
Ces mots sont écrits à la craie
Nous vous offrons ces quelques fleurs
Pour dire combien on vous aimait
On ne vous oubliera jamais
Adieu, Monsieur le professeur

Une larme est tombée sur sa main
Seul dans la classe il s'est assis
Il en a vu *défiler* des gamins   *passer, se succéder*
Qu'il a aimés tout au long de sa vie

Refrain

De beaux *prix* sont remis aux élèves   *récompenses*
Tous les discours sont terminés
Sous le *préau* l'assistance se lève   *cour de l'école couverte*
Une dernière fois les enfants vont chanter   *d'un toit*

Refrain (2x)

HUGUES AUFRAY

PRÉCIS GRAMMATICAL

m = masculin   **s** = singulier
f = féminin   **pl** = pluriel

LES DÉTERMINANTS

• le, la, les, l'

	singulier	pluriel
masculin	le, l'	les
féminin	la, l'	

	singulier	pluriel	
	le garçon		garçons
	la fille	les	filles
	l'école		écoles

• un, une, des

	singulier	pluriel
masculin	un	des
féminin	une	

	singulier	pluriel	
	un journaliste	des	journalistes
	une chambre		chambres

L'article partitif

• du, de la, de l', des ?

je mange   du pain *(masculin)*

             de la salade *(féminin)*

             des fruits *(pluriel)*

je bois   de l' eau *(l' + voyelle)*

mais Attention ! ▽

je ne mange pas de pain

je ne mange pas de salade

je ne mange pas de fruits

je ne bois pas d' eau

Les adjectifs possessifs

c'est *mon* ami
c'est *ta* sœur
etc.

singulier		pluriel	
masculin	*féminin*	*masculin*	*féminin*
mon	ma	mes	
ton	ta	tes	
son	sa	ses	
notre		nos	
votre		vos	
leur		leurs	

LES ADJECTIFS

C'est facile!

C'est difficile!

singulier		pluriel	
masculin	*féminin*	*masculin*	*féminin*
grand	grande	grands	grandes
petit	petite	petits	petites
français	française	français	françaises
nouveau	nouvelle	nouveaux	nouvelles
beau	belle	beaux	belles
blanc	blanche	blancs	blanches
vieux	vieille	vieux	vieilles

LES PRONOMS PERSONNELS

singulier
1re pers.   je - moi   Moi, je travaille bien.
2e pers.   tu - toi   Toi, tu vas au cinéma.
3e pers. masc.   il - lui   Lui, il est français.
3e pers. fém.   elle - elle   Elle, elle vient en vélo.

pluriel
1re pers.   nous - nous   Nous, nous voulons boire.
2e pers.   vous - vous   Vous, vous avez quinze ans.
3e pers. masc.   ils - eux   Eux, ils font leurs devoirs.
3e pers. fém.   elles - elles   Elles, elles font les magasins.

QUELQUES MOTS POUR INTERROGER ET POSER DES QUESTIONS

qui ? qui est-ce, C'est Claudine.

que ? que fais-tu ? Je travaille.

qu' ? qu'est-ce que vous faites ? Nous discutons.

où ? où est l'hôtel de la Poste ? C'est tout droit.

quand ? quand partez-vous ? Samedi à 5 heures.

comment ? comment tu t'appelles ? Je m'appelle Didier.

combien ? combien ça fait ? Ça fait 21 francs.

pourquoi ? pourquoi tu ne viens pas ? Parce que j'habite loin.

quel ? quel musée veux-tu visiter ? *(m. s.)* Le Louvre.

quelle ? quelle heure est-il ? *(f. s.)* Onze heures.

quels ? quels vêtements tu mets ? *(m. pl.)* Les neufs.

quelles ? quelles amies invites-tu ? *(f. pl.)* Jeanne et Maryse.

LE LIEU

je vais
- à la plage *(f.)*
- au cinéma *(m.)*
- à l'école *(f.)*
- à l'Opéra *(m.)*
- aux Champs-Élysées *(pl.)*

mais

je viens
- de la plage *(f.)*
- du cinéma *(m.)*
- de l'école *(f.)*
- de l'Opéra *(m.)*

LA NÉGATION

ne . . . . **pas**

je [ne] vais [pas] au cinéma.

je [n'] aime [pas] la viande.

je [n'] ai [pas] trouvé mes affaires.

LES NOMBRES

zéro	**20** vingt	**30** trente	**40** quarante
un	vingt *et* un	trente *et* un	quarante *et* un
deux	vingt-deux	trente-deux	quarante-deux
trois	vingt-trois	. . . .	. . . .
quatre	. . . .	. . . .	. . . .
cinq	**50** cinquante	**60** soixante	**70** soixante-dix
six	cinquante *et* un	soixante *et* un	soixante *et* onze
sept	cinquante-deux	soixante-deux	soixante-douze
huit	. . . .	. . . .	. . . .
neuf	. . . .	. . . .	. . . .

Mais Attention ▽

80 quatre-vingt*s*   **90** quatre-vingt-dix
quatre-vingt-un   quatre-vingt-onze

. . . .

. . . .

100 cent   **200** deux cents   **1000** mille
101 cent un   **201** deux cent un

. . . .

999 neuf cent quatre-vingt-dix-neuf

dix, onze, douze, treize, quatorze, quinze, seize, dix-sept, dix-huit, dix-neuf

TABLEAUX DE CONJUGAISON

LE PRÉSENT

verbe ÊTRE	verbe AVOIR
je suis	j'ai
tu es	tu as
il/elle est	il/elle a
nous sommes	nous avons
vous êtes	vous avez
ils/elles sont	ils/elles ont
je suis content. *ils sont à la maison.*	*tu as un livre.* *j'ai chaud.*

verbe ACHETER	verbe PARLER
J'achète	je parle
tu achètes	tu parles
il/elle achète	il/elle parle
nous achetons	nous parlons
vous achetez	vous parlez
ils/elles achètent	ils/elles parlent
Attention! *nous et vous : pas d'accent.* *j'achète des fruits.*	*je parle à une amie.* *vous parlez français.*

verbe S'APPELER	verbe SE LAVER
je m'appelle	je me lave
tu t'appelles	tu te laves
il/elle s'appelle	il/elle se lave
nous nous appelons	nous nous lavons
vous vous appelez	vous vous lavez
ils/elles s'appellent	ils/elles se lavent
je m'appelle Olivier. *elles s'appellent Lise et Anne.*	*elle se lave les mains.* *ils se lavent dans la salle de bains.*

verbe FINIR	verbe CHOISIR
je finis	je choisis
tu finis	tu choisis
il/elle finit	il choisit
nous finissons	nous choisissons
vous finissez	vous choisissez
ils/elles finissent	ils/elles choisissent
tu finis ton cours à 5 heures. *vous finissez votre dîner.*	*je choisis la jupe blanche.* *tu choisis la biologie.*

verbe POUVOIR	verbe SAVOIR
je peux	je sais
tu peux	tu sais
il/elle peut	il/elle sait
nous pouvons	nous savons
vous pouvez	vous savez
ils/elles peuvent	ils/elles savent
tu peux faire l'exercice. *nous pouvons dessiner?*	*tu sais lire l'heure?* *vous savez où est Claire?*

verbe VOULOIR	verbe BOIRE
je veux	je bois
tu veux	tu bois
il/elle veut	il/elle boit
nous voulons	nous buvons
vous voulez	vous buvez
ils/elles veulent	ils/elles boivent
je veux sortir. *elle veut du pain.*	*elles boivent de l'eau.* *nous buvons du diabolo menthe.*

verbe ALLER	verbe VENIR
je vais	je viens
tu vas	tu viens
il/elle va	il/elle vient
nous allons	nous venons
vous allez	vous venez
ils/elles vont	ils/elles viennent
ils vont à la plage. *je vais au cinéma.*	*nous venons avec toi.* *elle vient aussi.*

verbe ÉCRIRE	verbe FAIRE
j'écris	je fais
tu écris	tu fais
il/elle écrit	il/elle fait
nous écrivons	nous faisons
vous écrivez	vous faites
ils/elles écrivent	ils/elles font
j'écris une lettre. *il écrit avec un stylo bleu.*	*– qu'est-ce que tu fais ?* *– je fais mes exercices.*

verbe METTRE	verbe PRENDRE
je mets	je prends
tu mets	tu prends
il/elle met	il/elle prend
nous mettons	nous prenons
vous mettez	vous prenez
ils/elles mettent	ils/elles prennent
tu mets ta jupe. *il met son manteau.*	*je prends mes affaires.* *ils prennent le train, l'avion...*

LE PASSÉ COMPOSÉ
avec le verbe avoir

verbe PARLER	verbe FINIR
j'ai parlé	j'ai fini
tu as parlé	tu as fini
il/elle a parlé	il/elle a fini
nous avons parlé	nous avons fini
vous avez parlé	vous avez fini
ils/elles ont parlé	ils/elles ont fini
nous avons parlé ensemble. (rencontrer quitter, habiter) *j'ai rencontré Anne.*	*ils ont fini leurs cours.* *j'ai fini de manger.*

verbe METTRE	verbe FAIRE
j'ai mis	j'ai fait
tu as mis	tu as fait
il/elle a mis	il/elle a fait
nous avons mis	nous avons fait
vous avez mis	vous avez fait
ils/elles ont mis	ils/elles ont fait
elle a mis ses chaussures. (prendre) *j'ai pris le métro.*	*tu as fait tes devoirs.* *il a fait froid, cet hiver.*

verbe ÉCRIRE	verbe VOIR
j'ai écrit	j'ai vu
tu as écrit	tu as vu
il/elle a écrit	il/elle a vu
nous avons écrit	nous avons vu
vous avez écrit	vous avez vu
ils/elles ont écrit	ils/elles ont vu
nous avons écrit une lettre *à Paul.* *j'ai écrit sur le cahier d'exer-* *cices.*	*tu as vu Christine.* *nous avons vu ce film.*

LE PASSÉ COMPOSÉ
avec le verbe être

verbe ALLER
je suis allé
tu es allé
il est allé
elle est allée
nous sommes allés
vous êtes allés
ils sont allés
elles sont allées

⚠ **Attention**   au féminin   sur le modèle du verbe aller :
au pluriel   rester - entrer

Verbes difficiles ! venir
je suis venu
elle est venue

L'IMPÉRATIF
des verbes
du 1ᵉʳ groupe
aux 2ᵉ personnes
singulier et pluriel

verbe CHERCHER	verbe MONTER	verbe PARLER
cherche	monte	parle
cherchez	montez	parlez

verbe REGARDER	verbe RESTER
regarde	reste
regardez	restez

ACTES DE PAROLES

Dire, c'est toujours faire, alors comment faire pour...

▷ **Accepter** Leçons
- Très bien, Madame/Monsieur **9**
- Bon... **9**
- Oui, volontiers **16**
- Bon, ça va **20**
- Très bien **20**
- Oui, je veux bien **21**

▷ **Accord**
Exprimer l'accord
- Bien sûr! **11**
- D'accord **11**
- Bien sûr, c'est possible **14**
- Ça va **20**
- Bonne idée! **30**

▷ **Apprécier**
- C'est beau! **11**
- Je trouve ça formidable **26**
- J'aime... **28**
- ... pas tellement **28**
- Je déteste **28**
- Elle est belle/il est beau **29**
- C'est bon **30**

▷ **Attendre**
Faire attendre
- Un instant **9**

▷ **Attirer l'attention**
- Pardon, Monsieur/Madame **7**
- Dis + prénom **9**
- Allô! *(au téléphone)* **9**
- Tiens! + *prénom* **12**

▷ **Avis**
Demander l'avis
- N'est-ce pas? **29**
- C'est vrai... tu sais. **29**
- ..., tu crois? **30**

▷ **Déception**
Exprimer la déception
- C'est dommage! **12**
- Dommage! **20**
- Zut! **20**
- Zut, alors! **23**

▷ **Demander**
- S'il vous plaît? **10**

▷ **Désirer**
- Je voudrais... **9**

▷ **Hésiter**
- Euh... **20**
- Hmm... **23**

▷ **Identifier**
- Des choses
- Qu'est-ce que c'est...? C'est... **4**
- Des personnes
- Qui es-tu? Je suis... **3**
- Qui est-ce? C'est... **5**
- Il est/elle est + *nationalité* **5**
- Comment t'appelles-tu? Je m'appelle... **14**
- Quel âge as-tu? J'ai... ans **15**

▷ **S'informer de quelqu'un**
- Qu'est-ce qu'elle a? **21**
- Elle est toujours *(malade)*? **21**

▷ **Inviter**
- Vous venez? **16**
- Tu restes encore un peu? **14**
- Tu viens? **21**

▷ **Irritation**
Exprimer l'irritation
- Oh là là! **19**
- Encore! **24**

▷ **Plaindre quelqu'un**
- Pauvre + *prénom*! **13**
- Dommage! **14**

▷ **Présenter quelqu'un**
- C'est + | *nom* **6**
| *prénom*
| Monsieur/Madame

▷ **Presser quelqu'un**
- Vite! **16**

▷ **Rassurer quelqu'un**
- Tout va bien **16**

LEXIQUE

L'index répertorie les mots contenus dans les textes, dialogues et illustrations, à l'exclusion des Revues pour tous.

Le numéro qui figure devant chaque mot renvoie à la leçon où le mot apparaît pour la première fois. Les Quelques mots utiles sont précédés du renvoi à la page (p. 7). La traduction proposée est donc celle de l'acception de ce mot dans le contexte de son premier emploi.

Seules, les principales catégories grammaticales ont été retenues : nom, verbe, adjectif, adverbe.

A

21	**abord, d'**, adv.	primero	first	zuerst	primeiro	αρχικά
14	**accepter**, v.	aceptar	to accept	akzeptieren	aceitar	δέχομαι
21	**acheter**, v.	comprar	to buy	kaufen	comprar	αγοράζω
p. 7	**activité, une**, n.	actividad	activity	die Aktivität	actividade	δραστηριότητα
8	**adresse, une**, n.	dirección	address	die Adresse	morada	διεύθυνση
16	**affaires, les**, n.f.	cosas	belongings	die Sachen (pl.)	coisas	προσ. αντικείμενα
15	**âge, un**, n.	edad	age	das Alter	idade	ηλικία
8	**agent de police, un**, n.	el policía	policeman	der Polizist	policia	αστυνομικός
29	**aider**, v.	ayudar	to help	helfen	ajudar	βοηθώ
21	**aimer**, v.	gustar	to like	lieben	gostar	αγαπώ
4	**album, un**, n.	álbum	album	das Album	album	άλμπουμ
11	**allemand/e**, adj.	alemán, alemana	German	deutsch	alemão/ã	γερμανός/-ίδα
10	**aller**, v.	ir	to go	gehen	ir	πηγαίνω
5	**américain/e**, adj.	norteamericano/a	American	amerikanisch	americano/a	αμερικανός/-ίδα
27	**Amérique, l'**, n.f.	Estados Unidos	America	Amerika	América	Αμερική
8	**ami/e, un(e)**, n.	amigo/a	friend	der/die Freund/in	amigo/a	φίλος, φίλη
27	**amuser, s'**, v.	divertirse	to have fun	sich amüsieren	divertir	διασκεδάζω
17	**an, un**, n.	año	year	ein Jahr	ano	έτος
15	**an, un**, n.	año	(years) old	(ein Jahr) alt	ano	χρόνος
24	**anglais**, n.m.	inglés	English	Engländer/in	ingles	αγγλικά
5	**anglais/e**, adj.	inglés, inglesa	Englishman/woman	Englisch	ingles/a	άγγλος/-ίδα
5	**Angleterre**, n.f.	Inglaterra	England	England	Inglaterra	Αγγλία
17	**année, une**, n.	año	year	ein Jahr	ano	χρονιά
16	**anniversaire, un**, n.	cumpleaños	birthday	der Geburtstag	aniversário	γενέθλια
17	**annuaire, un**, n.	guía de teléfonos	telephone directory	das Telefonbuch	lista	κατάλογος
17	**août**, n.m.	agosto	August	August	agosto	Αύγουστος
14	**appeler, s'**, v.	llamarse	to be called	heißen	chamar-se	ονομάζομαι
p. 7	**apprendre**, v.	aprender	to learn	lernen	aprender	μαθαίνω
25	**après**, adv.	después	after	nach	depois	μετά
24	**après-midi, un**, n.	tarde	afternoon	Nachmittag	tarde	απόγευμα
19	**arbre, un**, n.	árbol	tree	der Baum	árvore	δέντρο
10	**arc de triomphe, un**, n.	arco del triunfo	triumphal arch	der Triumphbogen	arco do triunfo	αψίδα του θριάμβου
26	**arriver**, v.	llegar	to arrive	ankommen	chegar	φτάνω
10	**art, un**, n.	arte	art	die Kunst	arte	τέχνη
27	**artiste, un**, n.	artista	artist	der Künstler	artista	καλλιτέχνης
17	**assez**, adv.	bastante	enough	genug	bastante	αρκετά
27	**auberge de jeunesse, une**, n.	albergue de la juventud	youth hostel	die Jugendherberge	albergue de juventude	ξενώνας νέων
11	**aujourd'hui**, adv.	hoy	today	heute	hoje	σήμερα
19	**aussi**, adv.	también	also	auch	também	επίσης
28	**autobus, un**, n.	autobús	bus	der Autobus	autocarro	λεωφορείο
17	**automne, un**, n.	otoño	autumn	der Herbst	outono	φθινόπωρο
8	**autoroute, une**, n.	autopista	motorway/highway	die Autobahn	auto-estrada	αυτοκινητόδρομος
20	**auto-stoppeur, un**, n.	autoestopista	hitch-hiker	der Anhalter	caronista	που κάνει ωτοστόπ
12	**autrefois**, adv.	antaño	formerly	früher	antigamente	άλλοτε
9	**avoir**, v.	tener	to have	haben	ter	έχω
17	**avril**, n.m.	abril	April	April	abril	Απρίλης

B

20	bagnole, la, n.	coche	motor car	der Wagen	carro	αυτοκίνητο
30	baguette, la n.	barra de pan	French stick	das Baguette	pão	μπαγκέτα (φρατζόλα)
9	bain, le, n.	cuarto de baño	bath	das Bad	banho	μπάνιο
30	banane, la, n.	plátano	banana	die Banane	banana	μπανάνα
19	bateau, le, n.	bote	boat	das Schiff	barco	πλοίο
11	beau/belle, adj.	bonito	very nice/beautiful	schön	bonito	ωραίος
30	beurre, le, n.	mantequilla	butter	die Butter	manteiga	βούτυρο
27	bibliothèque, la n.	biblioteca	library	die Blibliothek	biblioteca	βιβλιοθήκη
28	bicyclette, la n.	bicicleta	bicycle	das Fahrrad	bicicleta	ποδήλατο
24	bien, adj.	bien	well	gut	bem	καλά
23	bientôt, adv.	pronto	soon	bald	breve	εντός ολίγου
30	bière, la, n.	cerveza	beer	das Bier	cerveja	μπύρα
27	biologie, la, n.	biología	biology	die Biologie	biologia	βιολογία
30	biscuit, le, n.	galletita	biscuit/cookie	das Biskuit	biscoito	μπισκότο
29	blanc/blanche, adj.	blanco	white	weiß	branco	άσπρος
29	bleu/e, adj.	azul	blue	blau	azul	μπλε
16	bloc, le, n.	bloc	notepad	das Notizbuch	bloco	μπλοκ
30	boire, v.	beber	to drink	trinken	beber	πίνω
10	bois, le, n.	bosque	wood	der Wald	bosque	δάσος
30	boisson, la, n.	bedida	drink	das Getränk	bedida	ποτό, αναψυκτικό
30	boîte, la, n.	caja	tin	die Büchse	caixa	κουτί
29	bon/bonne, adj.	bueno	good	gut	bom	καλός
30	bonbon, le, n.	caramelo	a sweet	die Süßigkeit	rebuçados	καραμέλα
1	bonjour, n.m.	buenos días	hello	Guten Tag!	bom dia	καλημέρα
20	boucherie, la, n.	carnicería	butcher's	die Metzgerei	talho	κρεοπωλείο
20	boulangerie, la, n.	panadería	baker's	die Bäckerei	padaria	αρτοποιείο
10	boulevard, le, n.	bulevar	boulevard	das Boulevard	bulevar	λεωφόρος με δέντρα
6	boum, la, n.	fiesta	party	die Party	festa	πάρτυ
30	bouteille, la, n.	botella	bottle	die Flasche	garrafa	μπουκάλι
29	boutique, la, n.	tienda	shop	der Laden	butique	μπουτίκ
15	branche, la, n.	rama	branch	der Ast	galho	κλαδί
18	brouillard, le, n.	niebla	fog	der Nebel	neblina	ομίχλη
25	bureau, le, n.	escritorio	desk	der Schreibtisch	secretária	γραφείο (έπιπλο)
27	bureau, le, n.	despacho	office	das Büro	escritório	γραφείο
8	bureau de tabac, le, n.	estanco	tobacconist's	der Tabakladen	tabacaria	καπνοπωλείο

C

16	cadeau, le, n.	regalo	present	das Geschenk	presente	δώρο
10	café, le, n.	bar	café	das Café	bar	καφενείο
30	café, le, n.	café	coffee	der Kaffee	café	καφές
4	cahier, le, n.	cuaderno	exercise book	das Schreibheft	caderno	τετράδιο
17	calendrier, le, n.	calendario	calendar	der Kalender	calendário	ημερολόγιο
30	camembert, le, n.	camembert	Camembert cheese	der Camembert	camembert	καμαμπέρ (τυρί)
20	camion, le, n.	camión	lorry/truck	der Lastwagen	camião	φορτηγό
30	camionnette, la, n.	camioneta	van	der Lieferwagen	camioneta	ημιφορτηγό
11	camping, le, n.	acampada	camping site	der Camping	campismo	κάμπινγκ
24	cantine, la, n.	comedor	canteen	die Mensa	cantina	καντίνα
19	caravane, la, n.	caravana	caravan	die Karawane	roulotte	τροχόσπιτο
16	cartable, le, n.	cartera	satchel	die Schultasche	carteira	σάκκα
26	cassette, la, n.	casete	cassette	die Kassette	fita	κασέτα
4	cathédrale, la, n.	catedral	cathedral	der Dom	catedral	καθεδρικός ναός
6	centre, le, n.	centro	centre	das Zentrum	centro	κέντρο
30	cerise, la, n.	cereza	cherry	die Kirsche	cereja	κεράσι

9	**chambre, la,** n.	habitación	bedroom	das Zimmer	quarto	δωμάτιο
20	**charcuterie, la,** n.	salchichería	delicatessen	die Wurst	salsicharia	αλλαντοπωλείο
8	**château, le,** n.	castillo	castel	das Schloß	castelo	πύργος
17	**chaud/e,** adj.	calor	hot	warm	quente	ζεστός
29	**chaussures, les,** n.f.	zapatos	shoes	die Schuhe (pl.)	sapatos	παπούτσια
16	**chef de gare, le,** n.	jefe de la estación	station master	der Bahnhofsvorsteher	chefe de estação	σταθμάρχης
29	**chemise, la,** n.	camisa	shirt	das Hemd	camisa	πουκάμισο
29	**cher/chère,** ajd.	caro	expensive	teuer	caro	ακριβός
16	**chercher,** v.	buscar	to look for	suchen	procurar	ψάχνω
9	**chien, le,** n.	perro	dog	der Hund	cão	σκύλος
30	**chocolat, le,** n.	chocolate	chocolate	die Schokolade	chocolate	σοκολάτα
27	**choisir,** v.	elegir	to choose	(aus)wählen	escolher	διαλέγω
27	**ciel, le,** n.	cielo	sky	der Himmel	céu	ουρανός
14	**cinéma, le,** n.	cine	cinema	das Kino	cinema	κινηματογράφος
13	**cité universitaire, la,** n.	ciudad universitaria	campus	das Studentenwohnheim	cidade universitária	πανεπιστημιούπολη
11	**classe, la,** n.	clase	class	die Kasse	classe	τάξη
p. 7	**classer,** v.	clasificar	to classify/to file	ordnen	classificar	ταξινομώ
16	**clé, la,** n.	llave	key	der Schlüssel	chave	κλειδί
30	**coca, le,** n.	coca	Coca-Cola	Coca-Cola	coca	κόκα κόλα
14	**coiffeur, le,** n.	peluquero	hairdresser	der Friseur	cabelereiro	κομμωτής
23	**commencer,** v.	empezar	to start/to begin	beginnen	começar	αρχίζω
p. 7	**compléter,** v.	completar	to complete	ergänzen	completar	συμπληρώνω
11	**confortable,** adj.	cómodo	comfortable	bequem	confortável	άνετος
p. 7	**conjugaison, la,** n.	conjugación	conjugation	die Konjugation	conjugação	κλίση (γραμμ.)
14	**connaître,** v.	conocer	to know	kennen	conhecer	γνωρίζω
11	**content/e,** adj.	contento	pleased	zufrieden	contente	ευχαριστημένος
27	**continuer,** v.	continuar	to continue	fortsetzen	continuar	συνεχίζω
27	**conversation, la,** n.	conversación	conversation	die Unterhaltung	conversação	συζήτηση
24	**copain, le,** n.	amigo	friend	der Freund	amigo	φιλαράκος
26	**copine, la,** n.	amiga	friend	die Freundin	amiga	φίλη
29	**couleur, la,** n.	color	colour	die Farbe	cor	χρώμα
27	**couloir, le,** n.	corredor	corridor	der Flur	corredor	διάδρομος
26	**cours, le,** n.	clase	lesson	der Unterricht	curso	μάθημα
13	**cour, la,** n.	patio	playground	der Hof	pátio	αυλή
15	**cousin, le,** n.	primo	(male) cousin	der Cousin	primo	ξάδελφος
15	**cousine, la,** n.	prima	(female) cousin	die Cousine	prima	ξαδέλφη
16	**crayon, le,** n.	lápiz	pencil	der Bleistift	lápis	μολύβι
14	**crèmerie, la,** n.	lechería	dairy	das Milchgeschäft	leitaria	γαλακτοπωλείο
8	**crêperie, la,** n.	crepería	pancake shop	die Creperie	creperia	κρεπερί

14	**danser,** v.	bailar	to danse	tanzen	dançar	χορεύω
17	**date, la,** n.	fecha	date	das Datum	data	ημερομηνία
17	**décembre,** n.m.	diciembre	December	Dezember	dezembro	Δεκέμβρης
p. 7	**découvrir,** v.	descubrir	to discover	entdecken	descobrir	ανακαλύπτω
18	**degré, le,** n.	grado	degree	das Grad	grau	βαθμός
16	**déjà,** adv.	ya	already	schon	já	ήδη
14	**déjeuner,** v.	almorzar	to (have) lunch	zu Mittag essen	almoçar	τρώω μεσημεριανό
11	**déjeuner, le,** n.	almuerzo	lunch	das Essen	almoço	μεσημεριανό γεύμα
30	**délicieux/délicieuse,** adj.	delicioso	delicious	köstlich	delicioso	γευστικότατος
12	**demain,** adv.	mañana	tomorrow	morgen	amanhã	αύριο
13	**demander,** v.	preguntar	to ask	fragen	perguntar	ρωτώ
23	**demi-heure, la,** n.	media hora	half-hour	die halbe Stunde	meia-hora	ημίωρο
16	**départ, le,** n.	salida	departure	die Abreise	partida	αναχώρηση
20	**département, le,** n.	departamento	administrative region	der Bezirk	departamento	διαμέρισμα
25	**dépêcher, se,** v.	apresurarse	to hurry	sich beeilen	apressar-se	βιάζομαι
26	**dernier/dernière,** adj.	último	last	letzt	último	τελευταίος

30	désirer, v.	desear	to want	wünschen	desejar	επιθυμώ
23	dessin, le, n.	dibujo	drawing	die Zeichnung	desenho	σχέδιο
28	détester, v.	aborrecer	to hate	verabscheuen	detestar	απεχθάνομαι
p. 7	deviner, v.	adivinar	to guess	erraten	adivinhar	μαντεύω
25	devoirs, les, n.m.	deberes	homework	die Hausaufgaben (pl.)	deveres	εργασία για το σπίτι
27	différent/e, adj.	distinto	different	anders	diferente	διαφορετικός
17	dimanche, n.m.	domingo	Sunday	Sonntag	domingo	Κυριακή
25	dîner, le, n.	cena	dinner	das Abendessen	jantar	δείπνο
11	dire, v.	decir	to tell	sagen	dizer	λέω
10	direction, la, n.	dirección	direction	die Richtung	direcção	κατεύθυνση
27	directeur, le, n.	director	headmaster	der Direktor	director	διευθυντής
23	discothèque, la, n.	discoteca	disco	die Diskothek	discoteca	ντισκοτέκ
24	discuter, v.	charlar	to discuss	erörtern	conversar	συζητώ
25	disputer, se, v.	pelearse	to quarrel	streiten	brigar	φιλονικώ
25	disque, le, n.	disco	record	die Schallplatte	disco	δίσκος
30	distribution, la, n.	reparto	distribution	die Verteilung	distribuição	διανομή
19	donner, v.	dar	to give	geben	dar	δίνω
25	dormir, v.	dormir	to sleep	schlafen	dormir	κοιμάμαι
24	douche, la, n.	ducha	shower	die Dusche	duche	ντους
20	droguerie, la, n.	droguería	hardware shop	die Drogerie	drogaria	μαγαζί καθαριστικών
11	droit, adv.	derecho	straight	direkt	em frente	ευθεία
10	droite, la, n.	derecha	right	die rechte Seite	direita	δεξιά
23	durer, v.	durar	to last	dauern	durar	διαρκώ

E

30	eau, une, n.	agua	water	das Wasser	água	νερό
30	eau minérale, une, n.	agua mineral	mineral water	das Mineralwasser	água mineral	μεταλλικό νερό
8	école, une, n.	escuela	school	die Schule	escola	σχολείο
25	écouter, v.	escuchar	to listen	zuhören	escutar	ακούω
p. 7	écrire, v.	escribir	to write	schreiben	escrever	γράφω
4	église, une, n.	iglesia	church	die Kirche	igreja	εκκλησία
27	élève, un/une, n.	alumno	pupil	ein(e) Schüler(in)	aluno	μαθητής
26	émission, une, n.	transmisión	programme	die Sendung	programa	εκπομπή
24	emploi du temps, un, n.	horario	timetable	der Stundenplan	horário	ωρολόγιο πρόγραμμα
26	emprunter, v.	tomar prestado	to borrow	borgen	pedir emprestado	δανείζομαι
12	encore, adv.	aún, todavía	still	noch	ainda	ακόμα
11	enfant, un, n.	hijo, hermano	child	das Kind	criança	παιδί
16	enfin, adv.	por fin	finally/at last	schließlich	enfim	επιτέλους
26	enregistrer, v.	grabar	to record	aufnehmen	gravar	μαγνητοφωνώ
23	ensemble, adv.	juntos	together	zusammen	juntos	μαζί
24	ensuite, adv.	después	then	dann	em seguida	στη συνέχεια
14	entrer, v.	entrar	to enter/to go in	eintreten	entrar	μπαίνω
10	épicerie, une, n.	tienda de comestibles	grocer's	das Lebensmittelgeschäft	mercearia	μπακάλικο
30	épicier, un, n.	dependiente	grocer	der Lebensmittelhändler	merceeiro	μπακάλης
30	épicière, une, n.	dependienta	grocer	die Lebensmittelhändlerin	merceeira	μπακάλισσα
7	Espagne, n. f.	España	Spain	Spanien	Espanha	Ισπανία
7	espagnol/e, adj.	español/a	Spanish	spanisch	espanhol	ισπαν/ός/-ίδα
29	essayer, v.	probar (se)	to try (on)	versuchen	provar	δοκιμάζω
6	est, l', n. et adv.	este	east	der Osten	leste	Ανατολή, ανατολικά
7	États-Unis, n. m.	Estados Unidos	United States	die Vereinigten Staaten	Estados Unidos	Ηνωμένες Πολιτείες
17	été, un, n.	verano	summer	ein Sommer	verão	καλοκαίρι
2	être, v.	ser, estar	to be	sein	ser/estar	είμαι
13	étudiante, une, n.	estudiante	(female) student	eine Studentin	estudante	φοιτήρια
p. 7	exercices, des, n.	ejercicios	exercises	Übungen (pl.)	exercícios	ασκήσεις
29	exister, v.	existir	to exist	bestehen	existir	υπάρχω

F

	French	Spanish	English	German	Portuguese	Greek
26	faire, v.	hacer	to do	machen	fazer	κάνω
20	faire de l'autostop, v.	hacer dedo	to hitch-hike	per Anhalter fahren	ir à boléia	κάνω ωτοστόπ
11	famille, la, n.	familia	family	die Familie	familia	οικογένεια
p. 7	faux, adv.	falso	wrong	falsch	falso	λανθασμένος
p. 7	fermer, v.	cerrar	to close	zumachen, schließen	fechar	κλείνω
13	fête, la, n.	fiesta	party	das Fest	festa	γιορτή, παρτυ
17	fête, la, n.	santo	(public) holiday	der Feiertag	dia	γιορτή
17	fête du travail, la, n.	día de los trabajadores	Labour Day	der Tag der Arbeit	dia do trabalho	Εργατική Πρωτομαγιά
17	fête des mères, la, n.	día de la madre	Mother's Day	der Muttertag	dia das mães	γιορτή της μπτέρας
17	fête des pères, la, n.	día dei padre	Father's Day	der Vatertag	dia dos pais	γιορτή του πατερα
17	fête nationale, la, n.	fiesta patria	national holiday	der Nationalfeiertag	festa nacional	εθνική εορτή
10	feu, le, n.	fuego	fire	das Feuer	lume	φωτιά
17	février, n.m.	febrero	February	Februar	fevereiro	Φλεβάρης
23	filer, v.	largarse	to run off	weglaufen	ir embora	το βάζω στα πόδια
2	fille, la, n.	hija	daughter	die Tochter	filha	κόρη
14	fille, la, n.	chica	girl	das Mädchen	menina	κορίτσι
21	film, le, n.	película	film, movie	der Film	fílμε	φιλμ
2	fils, le, n.	hijo	son	der Sohn	filho	γιός
19	fin, la, n.	fin	end	das Ende	fim	τέλος
27	finir, v.	acabar	to end	enden	acabar	τελειώνω
27	fois, la, n.	vez	time	einmal	vez	φορά
23	football, le, n.	fútbol	football	der Fußball	futebol	ποδόσφαιρο
19	formidable, adj.	estupendo	fantastic	großartig	formidável	καταπληκτικός
23	foyer des jeunes, le, n.	casa de la juventud	youth club	das Jugendzentrum	casa da juventude	εστία νέων
30	fraise, la, n.	fresa	strawberry	die Erdbeere	morango	φράουλα
30	franc, le, n.	franco	franc	der Franc	franco	φράγκο
5	français/e, adj.	francés, francesa	French	französisch	francês	γάλλος/-ίδα
24	français, n.m.	francés	French	der Franzose	francês	γαλλικά
2	frère, le, n.	hermano	brother	der Bruder	irmão	αδελφός
17	froid/e, adj.	frío	cold	kalt	frio	κρύος
30	fromage, le, n.	queso	cheese	der Käse	queijo	τυρί

G

	French	Spanish	English	German	Portuguese	Greek
13	garçon, le, n.	muchacho	boy	der Junge	menino	αγόρι
16	gare, la, n.	estación	station	die Bahnhof	estação	σταθμός
10	gauche, la, n.	izquierda	left	die linke Seite	esquerda	αριστερά
18	geler, v.	helar	to freeze	frieren	gelar	παγώνω
21	gentil/le, n.	amable	kind	nett	gentil	ευγενικός
24	géographie, la, n.	geografía	geography	die Geografie	geografia	γεωγραφία
16	gomme, la, n.	goma	rubber	der Radiergummi	borracha	γόμμα
p. 7	grammaire, la, n.	gramática	grammar	die Grammatik	gramática	γραμματική
30	gramme, le, n.	gramo	gramme	das Gramm	grama	γραμμάριο
13	grand/e, adj.	grande	large/grand	groß	grande	μεγάλος
15	grand-mère, la, n.	abuela	grandmother	die Großmutter	avó	γιαγιά
15	grand-père, le, n.	abuelo	grandfather	der Großvater	avô	παππούς
15	grands-parents, les, n.m.	abuelos	grandparents	die Großeltern	avós	παππούδες & γιαγιάδες
29	gris/e, adj.	gris	grey	grau	cinzento	γκρίζος
27	gymnastique, la, n.	gimnasia	gymnastics	die Gymnastik	ginástica	γυμναστική

H I J

17	**habiller, s'**, v.	vestirse	to dress	anziehen	vestir-se	ντύνομαι
12	**habiter**, v.	vivir	to live	wohnen	morar	κατοικώ
19	**haut/e**, adj.	alto	tall	hoch	alto	ψηλός
16	**heure, une**, n.	hora	hour	eine Stunde	hora	ώρα
28	**histoire, l'**, n.f.	historia	history	die Geschichte	história	ιστορία
4	**histoire, une**, n.	cuento	story	eine Geschichte	história	ιστορία
17	**hiver, un**, n.	invierno	winter	ein Winter	inverno	χειμώνας
5	**hollandais/e**, adj.	holandés, holandesa	Dutch	holländisch	holandês	ολλανδός/-έζα
8	**hôpital, un**, n.	hospital	hospital	das Krankenhaus	hospital	νοσοκομείο
4	**hôtel, un**, n.	hotel	hotel	das Hotel	hotel	ξενοδοχείο
4	**hôtel de ville, un**, n.	ayuntamiento	town hall	das Rathaus	câmara municipal	δημαρχείο
6	**ici**, adv.	aquí	here	hier	aqui	εδώ
23	**illustré/e**, adj.	ilustrado	illustrated	illustriert	ilustrado	εικονογραφημένος
27	**important/e**, adj.	importante	important	wichtig	importante	σημαντικός
27	**informations, les**, n.f.	informativo	the news	die Nachrichten (pl.)	informações	ειδήσεις
28	**informatique, l'**, n.f.	informática	data processing	die Informatik	informática	πληροφορική
25	**installer, s'**, v.	instalarse	to sit down	sich hinsetzen	instalar-se	εγκαθίσταμαι
10	**intéressant**, adj.	interesante	interesting	interessant	interessante	ενδιαφέρον
23	**inviter**, v.	invitar	to invite	einladen	convidar	προσκαλώ
30	**jambon, le**, n.	jamón	ham	der Schinken	fiambre	ζαμπόν
17	**janvier**, n.m.	enero	January	Januar	janeiro	Ιανουάριος
29	**jardin, le**, n.	jardín	garden	der Garten	jardim	κήπος
29	**jaune**, adj.	amarillo	yellow	gelb	amarelo	κίτρινος
14	**jean, le**, n.	tejano	jeans	Jeans	jean	τζην
17	**jeudi**, n.m.	jueves	Thursday	Donnerstag	quinta-feira	Πέμπτη
23	**jeune**, adj.	joven	young	jung	jovem	νέος
13	**joli/e**, adj.	lindo	nice	höflich	bonito	χαριτωμένος
24	**jouer**, v.	jugar	to play	spielen	brincar	παίζω
12	**jour, le**, n.	día	day	der Tag	dia	ημέρα
17	**jour de l'an, le**, n.	primero de año	New Year's Day	das Neujahr	ano novo	Πρωτοχρονιά
24	**jour de congé, le**, n.	día de descanso	day off	die Ferien	dia feriado	αργία
7	**journaliste, le/la**, n.	periodista	journalist	der Journalist	jornalista	δημοσιογράφος
17	**juillet**, n.m.	julio	July	Juli	julho	Ιούλιος
17	**juin**, n.m.	junio	June	Juni	junho	Ιούνιος
29	**jupe, la**, n.	falda	skirt	der Rock	saia	φούστα

K L

30	**kilo, le**, n.	quilo	kilo	das Kilo	quilo	κιλό
10	**kilomètre, le**, n.	quilómetro	kilometre	der Kilometer	quilómetro	χιλιόμετρο
10	**là**, adv.	ahí	there	hier	está	εκεί
11	**là-bas**, adv.	allí	over there	dort	lá	εκεί πέρα
30	**lait, le**, n.	leche	milk	die Milch	leite	γάλα
p. 7	**langue, une**, n.	idioma	language	die Sprache	lingua	γλώσσα
25	**lavabo, le**, n.	lavabo	washbasin	das Waschbecken	lavatório	νιπτήρας
25	**laver, se**, v.	lavarse	to get washed	sich waschen	lavar-se	πλένομαι
23	**leçon, la**, n.	clase	lesson	die Lektion	lição	μάθημα
29	**lendemain, le**, n.	día siguiente	the following day	morgen	dia seguinte	επόμενη μέρα
23	**lettre, la**, n.	carta	letter	der Brief	carta	γράμμα
27	**lever, se**, v.	levantarse	to stand up	aufstehen	levantar-se	σηκώνομαι
4	**librairie, la**, n.	librería	bookshop	die Buchhandlung	livraria	βιβλιοπωλείο

	French	Spanish	English	German	Portuguese	Greek
22	**libre,** adj.	libro	free	frei	livre	ελεύθερος
30	**limonade, la,** n.	limonada	lemonade	die Limonade	limonada	λεμονάδα
30	**litre, le,** n.	litro	litre	der Liter	litro	λίτρο
4	**livre, le,** n.	libro	book	das Buch	livro	βιβλίο
30	**livre, la,** n.	libra (500 g.)	pound (weight)	das Pfund	libra	μισό κιλό
10	**loin,** adv.	lejos	far	fern	longe	μακριά
27	**long,** adv.	largo	long	lang	longo	μακρύς
23	**longtemps,** adv.	mucho tiempo	(for) a long time	lange	muito tempo	για πολύ χρόνο
17	**lundi,** n.m.	lunes	Monday	Montag	segunda-feira	Δευτέρα

M

	French	Spanish	English	German	Portuguese	Greek
1	**Madame,** n.f.	Señora	Madam	Frau	Senhora	Κυρία
16	**Mademoiselle,** n.f.	Señorita	Miss	Fräulein	Senhorita	Δεσποινίδα
26	**magnétophone, le,** n.	magnetófono	tape recorder	der Kassettenrecorder	gravador	μαγνητόφωνο
11	**magnifique,** adj.	magnífico	magnificent	wunderschön	magnífico	θαυμάσιος
17	**mai,** n.m.	mayo	May	Mai	maio	Μάιος
11	**maintenant,** adv.	ahora	now	jetzt	agora	τώρα
11	**maison, la,** n.	casa	house	das Haus	casa	σπίτι
13	**maison des jeunes, la,** n.	casa de la juventud	youth club	der Jungendclub	casa da juventude	οίκος νέων
21	**malade,** adj.	enfermo	sick	krank	doente	άρρωστος
23	**manger,** v.	comer	to eat	essen	comer	τρώω
27	**manquer,** v.	faltar	to be lacking	fehlen	faltar	λείπω
29	**manteau, le,** n.	abrigo	coat	der Mantel	casaco	παλτό
30	**marchand, le,** n.	vendedor	shopkeeper	der Kaufmann	comerciante	έμπορος
8	**marché, le,** n.	mercado	market	der Markt	mercado	αγορά
17	**mardi,** n.m.	martes	Tuesday	Dienstag	terça-feira	Τρίτη
29	**marron,** adj.	marrón	brown	braun	marrom	καφέ
17	**mars,** n.m.	marzo	March	März	março	Μάρτιος
23	**match, le,** n.	partido	match	das Match	jogo	ματς
24	**mathématiques, les,** n.f.	matemáticas	mathematics	die Mathematik	matemática	μαθηματικά
23	**maths, les,** n.f.	matemáticas	maths	Mathe	matemática	μαθηματικά
24	**matin, le,** n.	mañana	morning	morgen	manhã	πρωί
18	**mauvais/e,** adj.	malo	bad	schlecht	mau/má	κακός
15	**meilleur/e,** adj.	mejor	better	besser	melhor	καλύτερος
11	**même,** adv.	mismo	same	gleich	mesmo	ίδιος
27	**mer, la,** n.	mar	sea	das Meer	mar	θάλασσα
1	**merci,** n.f.	gracias	thank you	danke	obrigado	ευχαριστώ
17	**mercredi,** n.m.	miércoles	Wednesday	Mittwoch	quarta-feira	Τετάρτη
2	**mère, la,** n.	madre	mother	die Mutter	mãe	μητέρα
7	**Messieurs,** n.m.p.	Señores	Gentlemen	meine Herren	Senhores	Κύριοι
27	**météo, la,** n.	pronósticos del tiempo	weather forecast	der Wetterbericht	meteorologia	μετεωρολογικό δελτίο
4	**métro, le,** n.	metro	underground	die U-Bahn	metro	μετρό
29	**mettre,** v.	poner	to put on	legen	por	βάζω
22	**midi,** n.m.	doce del día	midday	Mittag	meio-dia	μεσημέρι
19	**minuit,** n.m.	doce de la noche	midnight	Mitternacht	meia-noite	μεσάνυχτα
23	**minute, la,** n.	minuto	minute	die Minute	minuto	λεπτό
24	**mobylette, la,** n.	ciclomotor	moped	das Moped	mobilete	μοτοσυκλέτα
10	**moderne,** adj.	moderno	modern	modern	moderno	μοντέρνος
17	**mois, le,** n.	mes	month	der Monat	mes	μήνας
1	**Monsieur,** n.m.	Señor	Sir	Herr	Senhor	Κύριος
20	**monter,** v.	subir	to get in	einsteigen	subir	ανεβαίνω
16	**montre, la,** n.	reloj pulsera	watch	die Uhr	relógio	ρολόι χεριού
10	**monument, le,** n.	monumento	monument	das Gebäude	monumento	μνημείο
30	**morceau, le,** n.	trozo	slice	das Stück	pedaço	κομμάτι
p. 7	**mot, le,** n.	palabras	words	das Wort	palavras	λέξεις
14	**musée, le,** n.	museo	museum	das Museum	museu	μουσείο
24	**musique, la,** n.	música	music	die Musik	música	μουσική

N

18	**neiger**, v.	nevar	to snow	schneien	nevar	χιονίζω
19	**neige, la**, n.	nieve	snow	der Schnee	neve	χιόνι
25	**nettoyer**, v.	limpiar	to clean	putzen	limpar	καθαρίζω
17	**Noël**, n.m.	Navidad	Christmas	Weihnachten	Natal	Χριστούγεννα
29	**noir/e**, adj.	negro	black	schwarz	preto	μαύρος
p. 7	**nom, le**, n.	nombre, apellido	name	der Name	sobrenome	όνομα
2	**non**, adv.	no	no	nein	não	όχι
6	**nord, le**, n. et adv.	norte	north	der Norden	norte	Βορράς, βόρρεια
24	**normal/e**, adj.	natural, normal	normal	normal	normal	κανονικός
9	**nouveau/nouvelle**, adj.	nuevo	new	neu	novo	καινούργιος
17	**novembre**, n.m.	noviembre	November	November	novembro	Νοέμβριος
25	**nuit, la**, n.	noche	night	die Nacht	noite	νύχτα
9	**numéro, le**, n.	número	number	die Nummer	número	αριθμός

O

p. 7	**observer**, v.	observar	to observe	beobachten	observar	παρατηρώ
17	**octobre**, n.m.	octubre	October	Oktober	outubro	Οκτώβρης
30	**œuf, un**, n.	huevo	egg	das Ei	ovo	αυγό
16	**offrir**, v.	regalar	to offer/to give	schenken	oferecer	προσφέρω
15	**oncle, un**, n.	tío	uncle	der Onkel	tio	θείος
4	**opéra, l'**, n.m.	ópera	opera	die Oper	ópera	όπερα
29	**orange**, adj.	avacanjado	orange	orange	alaranjado	πορτοκαλής
30	**orange, une** n.	naranja	orange	die Orange	laranja	πορτοκάλι
6	**ouest, l'**, n. et adv.	oeste	west	der Westen	oeste	Δύση, δυτικά
2	**oui**, adv.	sí	yes	ja	sim	ναί
27	**ouvert/e**, adj.	abierto	open	offen	aberto	ανοικτός
10	**ouvrier, un**, n.	obrero	workman	ein Arbeiter	operário	εργάτης
29	**ouvrir**, v.	abrir	to open	öffnen	abrir	ανοίγω

P

30	**pain, le**, n.	pan	bread	das Brot	pão	ψωμί
10	**palais, le**, n.	palacio	palace	der Palast	palácio	παλάτι
29	**pantalon, le**, n.	pantalón	trousers	die Hose	calças	παντελόνι
17	**Pâques**, n.m.p.	Pascua	Easter	Ostern	Páscoa	Πάσχα
30	**paquet, le**, n.	paquete	packet	das Paket	pacote	πακέτο
10	**parc, le**, n	parque	park	der Park	parque	πάρκο
7	**pardon**, n.	perdón	sorry	Entschuldigung	desculpe	συγγνώμη
15	**parents, les**, n.m.p.	padres	parents	die Eltern (pl.)	pais	γονείς
20	**parfait**, adv.	perfecto	perfect	perfekt	perfeito	τέλειος
12	**parler**, v.	hablar	to speak	sprechen	falar	μιλώ
10	**passant, le**, n.	transeunte	passer-by	der Passant	passante	περαστικός
11	**passer**, v.	pasar	to spend	verbringen	passar	περνάω
30	**passer**, v.	pasar	to pass by	weitergehen	passar	περνάω
21	**passer un film**, v.	poner una película	to show a film	einen Film zeigen	passar um filme	παίζω ένα φιλμ
20	**pâtisserie, la**, n.	pastelería	cake shop	die Konditorei	pastelaria	ζαχαροπλαστείο

	French	Spanish	English	German	Portuguese	Greek
13	**pauvre,** adj.	pobre	poor	arm	pobre	φτωχός
30	**pêche, la,** n.	pesca	peach	das Fischen	pêssego	ροδάκινο
19	**penser,** v.	pensar	to think	denken	pensar	σκέπτομαι
17	**Pentecôte, la,** n.	Pentecostés	Whitsun	Pfingsten	Pentecostes	Πεντηκοστή
2	**père, le,** n.	padre	father	der Vater	pai	πατέρας
13	**petit/e,** adj.	pequeño	small	klein	pequeno	μικρός
24	**petit déjeuner, le,** n.	desayuno	breakfast	das Frühstück	pequeno almoço	πρωϊνό γεύμα
30	**peu, un,** adv.	poco	a little	wenig	pouco	λίγο
24	**peut-être,** adv.	quizá	perhaps	vielleicht	talvez	ίσως
8	**pharmacie, la,** n.	farmacia	chemist's	die Apotheke	farmácia	φαρμακείο
p. 7	**phrase, une,** n.	oración	sentence	ein Satz	frase	φράση
15	**photo, la,** n.	foto	photo	das Foto	foto	φωτογραφία
27	**pianiste, le/la,** n.	pianista	pianist	der Pianist, die Pianistin	pianista	πιανίστας
8	**place, la,** n.	plaza	square	der Platz	praça	πλατεία
21	**place, la,** n.	sitio	seat	der Sitzplatz	lugar	θέση
7	**plage, la,** n.	playa	beach	der Strand	praia	πλαζ
29	**plaire,** v.	gustar	to please	gefallen	agradar	αρέσω
10	**plan, le,** n.	plano	street map	der Stadtplan	plano	πλάνο, χάρτης
18	**pleuvoir,** v.	llover	to rain	regnen	chover	βρέχει
30	**poire, la,** n.	pera	pear	die Birne	pera	αχλάδι
30	**poisson, le,** n.	pescado	fish	der Fisch	peixe	ψάρι
30	**pomme, la,** n.	manzana	apple	der Apfel	maçã	μήλο
4	**pont, le,** n.	puente	bridge	die Brücke	ponte	γέφυρα
8	**port, le,** n.	puerto	port	der Hafen	porto	λιμάνι
27	**porte, la,** n.	puerta	door	die Tür	porta	πόρτα
12	**possible,** adv.	posible	possible	möglich	possível	πιθανός
4	**poste, la,** n.	Correos	post office	die Post	correios	ταχυδρομείο
21	**pouvoir,** v.	poder	to be able	können	poder	μπορώ
16	**prendre,** v.	tomar	to take	nehmen	apanhar	παίρνω
21	**prendre un pot,** v.	tomar algo	to have a drink	sich vorstellen	beber um copo	παίρνω ένα ποτό
p. 7	**prénom, le,** n.	nombre	first name	etwas trinken gehen	nome	μικρό όνομα
27	**préparer,** v.	preparar	to prepare	der Vorname	arranjar	ετοιμάζω
15	**présenter, se,** v.	presentarse	to introduce oneself	vorbereiten	apresentar-se	συστήνομαι
16	**prêt/e,** adj.	listo	ready	bereit	pronto	έτοιμος
17	**printemps, le,** n.	primavera	Spring	der Frühling	primavera	άνοιξη
30	**prix, le,** n.	precio	price	der Preis	preço	τιμή
16	**prochain/e,** adj.	próximo	next	nächst	próximo	προσεχής
27	**prof, le,** n.	profesor	teacher	der Lehrer	professor	καθηγητής
3	**professeur, le,** n.	profesor	teacher	der Lehrer	professor	καθηγητής
11	**promenade, la,** n.	paseo	walk	der Spaziergang	passeio	περίπατος
30	**promotion, la,** n.	promoción	special offer	das Sonderangebot	promoção	προώθηση
19	**propre,** adj.	limpio	clean	sauber	limpo	καθαρός
30	**prune, la,** n.	ciruela	plum	der Pfirsich	ameixa	δαμάσκηνο
29	**pull, le,** n.	jersey	pullover	der Pulli	camisola	πουλόβερ

Q

	French	Spanish	English	German	Portuguese	Greek
16	**quai, le,** n.	andén	platform	das Gleis	plataforma	αποβάθρα
29	**qualité, la,** n.	calidad	quality	die Qualität	qualidade	ποιότητα
23	**quart d'heure, le,** n.	cuarto de hora	quarter of an hour	die Viertelstunde	quarto de hora	τέταρτο της ώρας
18	**quelquefois,** adv.	a veces	sometimes	manchmal	algumas vezes	μερικές φορές
p. 7	**question, la,** n.	pregunta	question	die Frage	questão	ερώτηση
20	**quincaillerie, la,** n.	ferretería	ironmonger's	das Eisenwarengeschäft	ferragens	μαγαζί κατσαρολικών
12	**quitter,** v.	irse de	to leave	verlassen	deixar	εγκαταλείπω

R

27	**raconter**, v.	contar	to tell	erzählen	contar	διηγούμαι
7	**radio, la**, n.	radio	radio	das Radio	radio	ραδιόφωνο
30	**raisin, le**, n.	uva	grape	die Traube	uva	σταφύλι
9	**réceptionniste, le**, n.	recepcionista	receptionist	die Vermittlung	recepcionista	ρεσεψιονίστας
24	**récréation, la**, n.	recreo	break	die Pause	recreio	διάλειμμα
19	**regarder**, v.	mirar	to look at	anschauen, beobachten	olhar	κοιτάω
20	**regretter**, v.	lamentar	to be sorry	bedauern	lamentar	λυπάμαι
12	**rencontrer**, v.	encontrarse con	to meet	treffen	encontrar	συναντώ
12	**rentrer**, v.	volver	to go back	zurückkehren	voltar	επιστρέφω
p. 7	**repérer**, v.	descubrir	to spot	finden	avistar	σημειώνω
p. 7	**répéter**, v.	repetir	to repeat	wiederholen	repetir	επαναλαμβάνω
p. 7	**répondre**, v	contestar	to answer	antworten	responder	απαντώ
7	**reportage, le**, n.	reportaje	reporting	der Bericht	reportagem	ρεπορτάζ
7	**reporter, le**, n.	reportero	reporter	der Reporter	repórter	ρεπόρτερ
9	**réserver**, v.	reservar	to book	reservieren	reservar	κάνω κράτηση
11	**restaurant, un**, n.	restaurante	restaurant	das Restaurant	restaurante	εστιατόριο
12	**rester**, v.	quedarse	to stay	bleiben	ficar	μένω
27	**réunir,se**, v.	reunirse	to gather	sich vereinigen	reunir-se	συγκεντρώνομαι
29	**robe, la**, n.	vestido	dress	das Kleid	vestido	φόρεμα
30	**roquefort, le**, n.	roquefort	Roquefort cheese	der Roquefort	roquefort	ροκφόρ
29	**rouge**, adj.	rojo	red	rot	vermelho	κόκκινος
25	**route, la**, n.	camino	the way	die Landstraße	estrada	δρόμος, διαδρομή
4	**rue, la**, n.	calle	street	die Straße	rua	δρόμος

S

9	**sable, le**, n.	arena	sand	der Sand	areia	άμμος
30	**sac, le**, n.	bolso	bag	die Tasche	bolsa	τσάντα
17	**Saint-Sylvestre, la**, n.	San Silvestre	New Year's Eve	Silvester	São Silvestre	του Αγίου Βασιλείου
13	**salle, la**, n.	sala	room	der Saal	sala	αίθουσα
13	**salle des fêtes, la**, n.	sala de fiestas	reception room	der Festsaal	salão de festas	αίθουσα εορτών
24	**salle de bains, la**, n.	cuarto de baño	bathroom	das Badezimmer	casa de banho	μπάνιο
13	**salon, le**, n.	salón	lounge	der Salon	sala	σαλόνι
12	**samedi**, n.m.	sábado	Saturday	Samstag	sábado	Σάββατο
30	**sardine, la**, n.	sardina	sardine	die Sardine	sardinha	σαρδέλλα
17	**savoir**, v.	saber	to know	wissen	saber	ξέρω
16	**semaine, la**, n.	semana	week	die Woche	semana	βδομάδα
17	**septembre**, n m	septiembre	September	September	setembro	Σεπτέμβρης
21	**seul/e**, adj.	solo	alone	allein	só	μόνος
2	**sœur, la**, n.	hermana	sister	die Schwester	irmã	αδελφή
25	**soir, le**, n.	tarde, noche	evening	der Abend	noite	βράδυ
18	**soleil, le**, n.	sol	sun	die Sonne	sol	ήλιος
p. 7	**sortir**, v	salir	to leave	ausgehen	sair	βγαίνω
18	**souvent**, adv.	a menudo	often	oft	seguido	συχνά
29	**sport**, adj.	deportivo	sporty	Sport-	desporto	σπορ (επίθ.)
28	**sport, le**, n.	deporte	sport	der Sport	sport	σπορ
23	**sportif/sportive**, adj.	deportivo	athletic	sportlich	desportivo	αθλητικός
4	**station de métro, la**, n.	estación de metro	underground station	die U-Bahn-Station	estação de metro	σταθμός μετρό
16	**stylo, le**, n.	bolígrafo	pen	der Füller	caneta	στυλό
30	**sucre, le**, n.	azúcar	sugar	der Zucker	açúcar	ζάχαρη
6	**sud, le**, n. et adv.	sur	south	der Süden	sul	Νότος, νότια
27	**sujet, le**, n.	tema	subject	dasThema	assunto	θέμα
8	**supermarché, le**, n.	supermercado	supermarket	der Supermarkt	supermercado	σουπερμάρκετ
19	**surtout**, adv.	sobre todo	above all	besonders	sobretudo	προ πάντων
27	**sympa**, adj.	majo	friendly	nett	simpático	συμπαθητικός

T

	French	Spanish	English	German	Portuguese	Greek
4	**table, la,** n.	mesa	table	der Tisch	mesa	τραπέζι
30	**tablette, la,** n.	tableta	bar	das Tablett	barra	πλάκα
15	**tante, la,** n.	tía	aunt	die Tante	tia	θεία
23	**télé, la,** n.	tele	television	das Fernsehen	tevê	τηλεόραση
9	**téléphone, le,** n.	teléfono	telephone	das Telephon	telefone	τηλέφωνο
11	**téléphoner,** v.	telefonear	to phone	anrufen	telefonar	τηλεφωνώ
18	**temps, le,** n.	tiempo	weather	das Wetter	tempo	καιρός
12	**temps, le,** n.	tiempo	time	die Zeit	tempo	χρόνος
23	**tennis, le,** n.	tenis	tennis	Tennis	tenis	τέννις
19	**tente, la,** n.	tienda	tent	das Zelt	tenda	τέντα, σκηνή
19	**terrain, le,** n.	terreno	site	der Platz	terreno	γήπεδο
14	**terrasse, la,** n.	terraza	café pavement area	die Terrasse	terraço	ταράτσα
30	**thé, le,** n.	té	tea	der Tee	chá	τσάι
10	**théâtre, le,** n.	teatro	theatre	das Theater	teatro	θέατρο
30	**tomate, la,** n.	tomate	tomato	die Tomate	tomate	ντομάτα
19	**tomber,** v.	caer	to fall	fallen	cair	πέφτω
23	**tôt,** adv.	temprano	early	früh	cedo	νωρίς
12	**toujours,** adv.	siempre	still/always	immer	sempre	πάντα
10	**tour, la,** n.	torre	tower	der Turm	torre	πύργος
7	**touriste, le,** n.	turista	tourist	der Tourist	turista	τουρίστας
10	**tourner,** v.	girar	to turn	wenden	girar	γυρίζω
11	**tout près,** adv.	cerquita	very near	sehr nah	bem perto	πολύ κοντά
23	**tout de suite,** adv.	enseguida	immediately	sofort	imediatamente	αμέσως
16	**train, le,** n.	tren	train	der Zug	comboio	τραίνο
30	**tranche, la,** n.	loncha	slice	die Scheibe	fatia	φέτα
26	**transistor, le,** n.	radio a transistor	transistor	der Transistor	transistor	τρανζίστορ
29	**travail, le,** n.	trabajo	work	die Arbeit	trabalho	δουλειά
28	**travail manuel, le,** n.	trabajo manual	manual work	die Handarbeit	trabalho manual	χειρονακτική εργασία
25	**travailler,** v.	trabajar	to work	arbeiten	trabalhar	δουλεύω
7	**très,** adv.	muy	very	sehr	muito	πολύ
17	**triste,** adj.	triste	sad	traurig	triste	στεναχωρημένος
18	**trop,** adv.	demasiado	too/too much	zuviel	demais	υπερβολικός
16	**trouver,** v.	encontrar	to find	finden	achar	βρίσκω
26	**trouver,** v.	pensar	to find	finden	achar	νομίζω
26	**tube, le,** n.	« hit » (éxito discrográfico)	hit record	der Hit	sucesso	τραγούδι, επιτυχία

V

	French	Spanish	English	German	Portuguese	Greek
11	**vacances, les,** n.f.	vacaciones	holidays	die Ferien (pl.)	férias	διακοπές
16	**vélo, le,** n.	bici	bicycle	das Fahrrad	bicicleta	ποδήλατο
29	**vendeuse, la,** n.	vendedora	sales assistant	die Verkäuferin	vendedora	πωλήτρια
17	**vendredi,** n.m.	viernes	Friday	Freitag	sexta-feira	Παρασκευή
13	**venir,** v.	venir	to come	kommen	vir	έρχομαι
29	**venir voir,** v.	venir a ver	to come to see	besuchen	vir ver	έρχομαι να δω
18	**vent, le,** n.	viento	wind	der Wind	vento	άνεμος
p. 7	**verbe, un,** n.	verbo	verb	das Verb	verbo	ρήμα
29	**veste, la,** n.	chaqueta	jacket	die Jacke	casaco	ζακέτα
29	**vêtements, les,** n.	ropa	clothes	die Kleider	roupas	ρούχα
30	**viande, la,** n.	carne	meat	das Fleisch	carne	κρέας
29	**vieux/vieille,** adj.	viejo	old	alt	velho	παληός
30	**village, le,** n.	pueblo	village	das Dorf	aldeia	χωριό

10	**ville, la,** n.	ciudad	town	die Stadt	cidade	πόλη
30	**vin, le,** n.	vino	wine	der Wein	vinho	κρασί
10	**visite, la,** n.	visita	visit	der Besuch	visita	επίσκεψη
14	**visiter,** v.	visitar	to visit	besuchen	visitar	επισκέπτομαι
p. 7	**vocabulaire, le,** n.	vocabulario	vocabulary	das Vokabular	vocabulário	λεξιλόγιο
16	**voie, la,** n.	vía	line	das Gleis	via	(σιδηροδρ.) γραμμή
8	**voir,** v.	ver	to see	sehen	ver	βλέπω
23	**voir, se,** v.	verse	to see one another	sich treffen	ver-se	κοιτάζομαι
19	**voiture, la,** n.	coche	car	der Wagen	carro	αυτοκίνητο
17	**volontiers,** adv.	con mucho gusto	with pleasure	gern	com muito gosto	ευχαρίστως
9	**vouloir,** v.	querer	to want	wollen	querer	θέλω
27	**voyage, le,** n.	viaje	journey/rip	die Reise	viagem	ταξίδι
p. 7	**vrai,** adj.	verdadero	true	wahr	verdadeiro	αληθινός
19	**vraiment,** adv.	verdaderamente	really	sicher	verdadeiramente	πραγματικά

9	**W.-C., les,** n. m.	retrete	toilet	die Toiletten (pl.)	retrete	αποχωρητήριο
9	**week-end, le,** n.	fin de semana	weekend	das Wochenende	fin de semana	σαββατοκύριακο

Table des matières

Illustrations

Photos

ABC Press Service : 17b.R1/6hg.R1/7bd-bg.R2/2hg.R2/3bm.R2/4bg.R2/5mg.79.R3/1.R3/5mg.R4/1.R4/2d.
Benelux Press : 17hg-hm.36h.R2/3hg.R2/8mg-md.75.R3/4hm.R3/5hd-md.102md.108hd.
Françoise Bouillot : 9.11.13.19hg.R1/4-5.36b.40.41.45d.47.48.54.R3/3h.95.96.97.108g.
Françoise Bouillot/Marco Polo : R3/8h.
Combi Press Service : R2/7h.
Explorer : 15bg (Baumgartner). 35 (Salou). 39 (Jalain). R2/2hd (Montesson). R3/3 (Bertrand). R4/2h (Sugar).
Les Films Plain-Chant : R2/1.R2/6g.
France Individuelle : R1/3b.99.
Giraudon : R2/5d
Harm Kuiper : 15 (album). 23 (album). R2/3hm.80.101b.102hm.105.
W. Landgraaf : 15mg-d.23hg-d.24g.R1/2.R1/3m.R1/5gbd.R1/8.45g.R2/2bd.R2/3m.R3/7b.107.
Musée Carnavalet : R3/2.
Première : R2/6b.R2/7m-b.
Rapho : 15hg (Michel). 23bg (Arcis). R1/1 (Ducasse). R1/3h (Danèse). R1/4h (Niepce). R1/4b (Vieil).

R1/5hd (Tulane). R1/6-7 (Saunier). R2/3md-bd (Dupont). R2/4bd (Réga). R2/8b (Silvester). R3/4hg (Charliat).R3/4hd (Réga). R3/5hg (Halary). R3/6b (Réga). R3/6h (Tulane).R3/7hm (Kammerman). R3/7mhd (Charles). R3/7mbd (Ciccione). 102m (Maltété). 108md (Tulane). R4/8b (Doisneau).
Roger-Viollet : R3/4b.R3/5b.R3/7hd.
André Ruigrok : 19bg-hd-bd.24.d.49.69.70.77.102hg.103.
Sunshine : 17hd-bd.R1/6g.R3/8b.R4/3.R4/4.R4/5.R4/6.R4/7.R4/8h.

Dessins

François Davot : 9.11.21.R1/2.R1/3.33.35.39.43.51.53.R2/4.R2/5.R2/8.65b.66.67.71.73.77bd.R3/2.89.91.93.101h.
Kees Henselmans : 15.23.R1/8.45.63.65h.66g.77g.R3/4-5.107.
Valérie Le Roux : pages d'activités.
Richards Studio : lettrage B.D.

Cartographie

Armand Haye : R1/2.R1/7.R3/6.
Coen de Vries : 19.71.

Chansons

Imprimé en France par I.M.E. - 25110 Baume-les-Dames
Dépôt légal n° 5504-01/1997
Collection n° 34 - Edition n° 09
15/4805/6